理財系列‧節稅贏家

綠 卡 與 稅

——投資移民美國的節稅之道——

何美惠／著

2002年修訂版

布希十年減稅法案解析

作者聲明

　　因美國稅法和國際稅法繁複多變，適用情況也因人、因時、因地而異，本書僅在稅法實務和理論上作概念的介紹，以作為對國際稅務規劃與法令有興趣的讀者參考，不能為法律根據，如需進一步瞭解本書所提之移民或投資等相關法律稅務問題，讀者仍須請教熟悉國際稅法及美國稅法的的專業會計師和律師等專家，依各人情況來做稅務規劃。

2002年修訂版序

　　《綠卡與稅》於1999年6月初版,兩年來,感謝聯經出版公司同仁的幫忙,更感謝聯合報、世界日報和世界書局,以及讀者的互相介紹,使它能連印六刷,本人也接到無數讀者的迴響。

　　2001年是美國稅法歷史上重要的一年,共和黨的布希政府和共和黨的國會合作,早在6月就通過2001-2002年度預算和十年的大減稅計畫。這減稅計畫修改了非常多的稅法法條,也使原本複雜的美國稅法更加複雜,尤其新法各條有不同的起用和失效期間,所有各新法也受制於「日落條款」(Sunset Provision),如果國會不做任何事,那麼全部新法都在2011年起全部失效,回到舊法,使長期稅務規劃更形困難。本版把和原書相關的新法全部增訂,也把十年減稅計畫的摘要附錄,以提供讀者最新的稅法。您如果要知道更新的美國稅法,請上我的網頁www.intertax.com查詢,我們將不定期提供最新的稅法在網頁上。

　　一年多來,許多前輩、讀者和客戶提出非常多的寶貴的意見和問題,美國國稅局也做了重要的改革,我也盡量把這些新

材料放在新版的《綠卡與稅》上。因為跨國投資等商業稅法，對一般移民比較不相干，所以公司理財和稅法的部分，抽出來放在另一本書《築夢美國——美國創業投資節稅法》，留下的版面，增加個人理財和節稅規劃章節。

再次感謝讀者、好友、客戶和聯合報、世界日報和世界週刊的編輯，您們的問題，提供我寫作的方向和題材。也希望您們能繼續指教，使本書更加豐富。

也感謝以下好友在初版和再版時的幫忙，使本書能夠成為暢銷書：聯合報韓尚平主任協助安排出版；李怡寬小姐協助編輯、整理和校對；呂翔律師提供和校正移民法規，金杜律師事務所協助再版時法律的增訂；李慧芳律師提供國際遺產法規資料；及外子鍾振昇的支持。

序一

專業知識與實務經驗的結合

我們不一定每個人都懂稅法，但是我們每個人都受稅法影響。當稅法規定愈複雜、稅率愈高時，如何透過事先的安排，以達到合法的節稅目的，也就成為每個人應該關心的問題，此即所謂「租稅規劃」（tax planning）。

由於租稅的課徵，係以會計所得及各種交易所產生的會計數字為依據，因此良好的租稅規劃，必須兼具精通稅法與嫻熟會計的條件，由於兩者均屬專業，要想兩者兼精並非易事，也因此有能力從事租稅規劃及諮詢的人才並不多。

當交易事項或投資跨越國界時，其租稅關係往往變得更加複雜，移民或國際投資即會遇到跨國租稅負擔的問題。若無良好的租稅規劃，不僅可能增加不必要的租稅負擔，有時亦會誤蹈法網，違法漏稅而不自知。

本校校友何美惠會計師，於本校畢業後，赴美國舊金山州立大學攻讀會計與租稅，獲碩士學位，並通過美國會計師考試，於舊金山執業會計師多年。何君精熟美國稅法，並對投資移民

美國的租稅規劃極富經驗，有鑑於「一個移民、一個故事」，
許多國內同胞移民到美國後，由於不諳美國稅法而遭遇到許多
租稅上的困擾，甚至影響到移民的身分和權益，乃將其專業知
識與實務經驗結合，撰成《綠卡與稅》一書，以供有心移民者
之參考。本書析論詳實，條理分明，極富參考價值，本人有幸
先睹為快，爰贅數語，用資推薦。

政大校長 鄭丁旺

1999.5.20於台北

序二

為華人寫一本美國稅法的書

認識何美惠會計師，緣於我們共同的客戶。本所負責該客戶台北母公司的會計業務，而何會計師則是美國子公司的會計師。為了這兩家母子公司的會計和租稅問題，我們和幾家美國會計師和律師樓接觸討論多次，問題都無法解決，最後，美國公司聘請了何會計師擔任顧問，我們終於合作把兩家母子公司多年的會計和租稅問題解決，也替這家公司省下近百萬美元的租稅。

當我們接到何美惠會計師為客戶寫的「組織及財稅規劃報告」時，我特別注意到何會計師的專業寫作能力，她把如此艱深複雜的國際投資和租稅法律問題，用洗鍊的文字來表達。整篇報告的事實陳述、法理分析和引用，以及問題的解決都依據法律予以抽絲剝繭，完全符合專業規範訴求。特別是，一個積案十餘年未能解決的問題，在她的報告中能化繁為簡，變成簡單的三個步驟就解決了，使這兩家公司的母公司能順利上市，何會計師居功厥偉。除此之外，她還把這兩家公司未來財務的

走向和節稅的方法都在報告中作詳細的說明，使我們能替兩家
公司省下近百萬美元的租稅。

認識何會計師以後，才知道為何她的租稅規劃報告寫得如
此突出。何會計師除兼具會計和稅法的訓練外，還有新聞學的
背景，曾得過國內新聞界最高榮譽獎——曾虛白新聞獎；到美國
攻讀會計，一年半就考上會計師；唸稅法碩士，畢業論文還在
國際會計會議上發表。為客戶作租稅規劃，日以繼夜不眠不休
研究，非常用心。這種專業的態度，是她能成功的主因。

除了專業知識與素養以外，何會計師不僅謙虛，也特別有
愛心。作為一個為很多新移民服務的會計師，她不忍看到新移
民因為不了解美國法律而受騙，或者誤觸法網，所以多年來一
直有個心願，那就是為太平洋兩岸的華人寫一本美國稅法的
書，使他們在移民和投資美國時，走的路不再崎嶇，本書的出
版，就是她多年心願的完成。

看了《綠卡與稅》的文章，和看她寫給客戶的財稅研究報
告感覺是不同的，因為這本書不是正式的法律研究報告，而是
寫給一般不熟悉美國文化和法律的中國人看的，因此採用較輕
鬆的詞彙而捨棄艱深的法律用語，同時排除難懂的翻譯名詞，
盡量利用實例和比喻來表達或翻譯專有名詞。例如，用孫悟空
來比喻新移民，用空中飛人來說明太平洋兩岸飛的美國公民或
綠卡持有人，用「棄國稅」來翻譯expatriate tax等等，使讀者在
輕鬆的文字中掌握美國稅法的精華。

正大會計師事務所很高興有機會邀請何會計師擔任本所的
美國顧問會計師，來為本所的客戶做美國會計和稅法方面的服

務，她的新書的出版，深信必受到讀者的歡迎，在此向她祝賀外，專為之序。

正大會計師事務所所長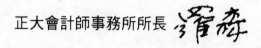

序三
會計師也應該看的一本書

1994年11月，何美惠會計師回台灣參加亞太國際會計會議，發表她的稅法碩士畢業論文，她來資誠看我。我們談了以後，發現她在美國幾年，對美國的會計和稅法的研究用了心，也有了她的成就，一個碩士班學生的畢業論文，要在教授群集的國際會計會議上發表並不容易。

以後幾年，她每年回來時，都會來看我，我也陸續在聯合報的專欄「移民注意」上看到她所發表美國稅法的專文。雖然短短的文章，但言簡而意賅，看不到稅法條文的艱澀難懂。

我很樂意為美惠的新書寫序。第一是因為在拜讀她的大作之前，我們有許多共同點。美惠是外子陳世敏教授的學生，也是我的政大新聞系的學妹。她和我一樣，到美國後轉行，唸企管和會計，我們兩人都在美國考取會計師。不同的是我回國發展，在資誠會計師事務所擔任合夥會計師，對台灣和大陸稅法有相當的研究和實務經驗。美惠則在唸完美國稅法碩士，考上

美國會計師和稅務師，工作幾年後在美國開業，現在是美國和國際稅法的專業會計師。我們還有一個共同的興趣，那就是寫作，我出版了大陸稅法的書，美惠現在則出版美國稅法的專書《綠卡與稅》。

美惠有會計和法律等專業論文和報告的寫作經驗，所以寫作有自己的風格。使她能融合新聞、會計和稅法的專業知識於一爐，這是本書寫作的特色，也是它值得推薦的地方。

我在美國唸過美國稅法，深深了解美國稅法既繁瑣又艱深。美國稅法的用語很特別，它不只和一般的英語的文字不同，和一般的美國法律用語也不同；是美國人公認的第二外國語，連美國人要了解美國稅法都很困難。要把美國稅法用另外一種文字來表達，更是難上加難。美惠成功地用簡單的中國文字來表達複雜的美國和國際稅法，去除了專業文字的艱深和名詞翻譯的痕跡，這工作看起來簡易，但除非她對國際稅法能融會貫通，否則是做不到的。

在資誠，我自己有很多機會替客戶做國際性的租稅規劃，也多多少少對美國稅法有研究，從和客戶的接觸中，知道客戶對美國的法律和租稅的概念非常模糊，他們或者是聽了很多不正確的所謂移民投資的省稅妙方，或者是要求我們用台灣的標準去做美國的投資規劃，這對我們常是大挑戰，因為美國的法律和台灣不同。美國執法非常嚴格，我們不可能完全遵照客戶的意思去做規劃。美惠的書，不只對一般人，對於會計師也有很大的幫助，值得會計師自己看和推薦給客戶看。因為這本書

簡單易懂，也以很公正的立場來討論美國稅法，客戶看了以後，
對美國的法律和制度有了解，使會計師和客戶的觀念能更接
近，對會計師的稅務規劃工作阻力更小。

　　《綠卡與稅——投資移民美國的節稅之道》是一本很有價值
的書，想到美國移民和投資的人應該看這本書，擁有美國綠卡
或公民權的人更應該看這本書。

資誠會計師事務所合夥會計師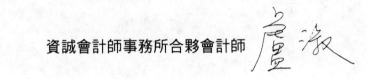

目次

遺產贈與篇

租稅實務篇

還鄉篇

附錄

前 言

相見恨晚

——綠卡的租稅陷阱

在和客戶面談後，我們常有「相見恨晚」之憾。

會計師天天都在數字中打滾，最不解風情，怎麼會那麼羅曼蒂克呢？

我們恨的當然不是男已婚或女已嫁，恨的是客戶在申請綠卡或投資美國之前，沒有先找懂得國際稅法的會計師替他們做稅務規劃，而白白繳給美國政府巨額稅金，或因違反美國法令，而變成美國的逃稅罪犯。

很多人說：「我不過是拿張綠卡，每年到美國報到一次，既沒有在美國居住，也不在美國工作，更不在美國投資賺錢，為什麼會欠美國政府的稅？」

其實，有這個問題的不只是新移民，很多常年居住海外的美國公民和美國政府打官司，認為自己不住在美國，沒有享受到政府的福利，何必繳稅？

但是，美國最高法院的法官自有妙論來支持美國課稅的理由。他們說，住在美國國內是向美國政府買「服務」，所以要向美國政府繳稅；住在海外的美國公民和居民是向美國政府買

「保險」，一旦美國公民和居民在海外有急難，美國政府會派
人去保護，去救援，所以也要向美國政府繳稅。因此，美國公
民和居民的人身或財產，不論在天涯海角，都要向「山姆叔叔」
（美國政府）報稅和繳稅。

欲加之「稅」，何患無辭？

　　不論這個「服務理論」和「保險理論」是否強詞奪理，這
兩個理論不只適用於所得稅，也適用於遺產稅和贈與稅，美國
公民和居民的「世界收入」（worldwide income）和「世界財產」
（worldwide estate）都是美國政府的課稅範圍。美國聯邦所得最
高稅率是39.1％，加上社會安全稅（social security tax）15.3％等雜
稅；若住在加州，州稅個人所得稅率高達百分之9.3％，聯邦稅
加上州稅一個人的收入半數以上可能要繳所得稅。拿到收入時
就已和「山姆叔叔」共產一次，剩下的一半省吃儉用，好不容
易積蓄一點資產，準備留給子孫，「山姆叔叔」又以遺產稅和
贈與稅來爭財產。美國的遺產和贈與的最高稅率2001年是55％
（以後遞減），也就是在傳給子孫時，又要和「山姆叔叔」共產
一次。

　　因為美國稅負很重，如何避免和山姆叔叔」共產，如何躲
開綠卡的租稅陷阱，就成為移民和投資美國的一個重要的課
題，也是我寫本書的主要動機。

　　本書的重點在華人移民前後稅負的比較，以及華人移民常
問的美國稅法問題的解答。它不是美國稅法大全，也不是稅表
填寫須知，它是我的經驗的分享，也是我融合多年來對美國以

及兩岸三地稅法研究的結晶。我嘗試著以新聞寫作的手法，把複雜、枯燥、難懂，高度專業的國際稅法，用最簡單的文字表達。

　　為了閱讀的方便，本書沒有像一般論文寫作，一條條引用法條，為了解釋方便，很多例子也簡化了。讀者在閱讀時請瞭解，美國稅法幾乎條條有例外，而且，例外中還有例外。因每個人的移民身分和財務情況都不同，只要事實經過稍有不同，稅負可能完全不一樣，沒有一本稅法的書可以包括所有的例子和說明，這本書只是讓你對一般的美國稅法有所瞭解，使你在做移民和投資決策時，知道何時要去找專業人員諮詢，本書不能作為美國租稅規劃的依據。

　　「相見不恨晚」，本書就是一座橋。

要不要移民美國？

不論執業或寫專欄，許多讀者或客戶不斷地問我這問題：「要不要移民美國？」

這個問題和「要不要結婚」一樣，沒有標準答案。站在會計師的立場，我不鼓勵有錢人為了所謂的「政治保單」，或是為了尋找「人間淨土」而申請綠卡，因為美國稅負高。但若不談稅，美國社會開放，市場大，是個移民投資的好地方。

移民最難在前幾年，不論在故鄉多風光，來到美國往往發現自己「眼瞎（看不懂英文）、耳聾（聽不懂英語）、口啞（不能講英語）、腳跛（不會開車）」，這是最痛苦的階段。很多新移民在此時回頭，也有人身留美國，但心理上用厚厚的一層土，埋葬自己的青春一輩子。多數成功的新移民都是不怕從頭開始，也不放棄再教育自己的機會的人。

美國是由移民組成的國家，也是一個宣稱注重族群文化多元（diversity）的社會。即使進入21世紀，美國社會仍保有許多移民創業與就學的新機會。就是這個「機會」，吸引世界各地的人移民前往美國。

移民的處境如何？移民的代價有多高？因為個人經驗不同

而不同。在此將移民歸類為四種：破釜沉舟、狡兔三窟、三藏取經，和逃兵型。因為各人情況不同，租稅的處理也不一樣。

破釜沉舟型

許多人下定決心，放棄一切移民美國。這種破釜沉舟型的人有兩種，一種是準備好了才全家合法移民。由於心理上有準備，經濟與生活可以慢慢上軌道。而另外一種是跳機跳船的破釜沉舟移民方式。

破釜沉舟型的人很敢冒險，有些人來美國，覺得環境很好，在親友的慫恿下，就「跳機」或「跳船」留下來了。但走這條途徑通常會受非常多的苦，因為沒有合法身分，很難找到好工作，加上有些人帶子女跳機，為的是子女的教育，但因為是非法的身分，他們和子女都不能離開美國，否則就回不來了，為了生存下去，除非家境很好，否則處境很艱難。所以這種類型很辛酸，也很壯烈，但也有不少成功的例子：有人最後拿到合法的身分，有些人最後在美國創業，生活也漸安定下來，而子女的成就，則是他們最大的安慰。

合法移民的處境好些，好的話留下來，不好嘛，大不了打道回府，做個空中飛人。

由稅負的觀點來看，破釜沉舟型的人不論有沒有身分，在稅法上都算美國人。要按照美國人的一套稅法來報稅。

狡兔三窟型

狡兔三窟型當中，有的是尋求政治保單的人。有的是因業

務需要到處有家的人。因此產生「一國兩府」，或「兩岸三家」
的情況，也就是在太平洋兩岸都有家。他們到後來就成爲所謂
的「空中飛人」。這當中有許多配偶和自己分開兩地，最常見
的是太太爲了子女的教育留在美國，先生留在台灣、香港，或
大陸打拼賺錢。有不少人爲照顧子女留在美國，而子女長大獨
立之後，自己就回家鄉。這當中成功的例子也很多。例如子女
教育成功等等，要看自己當初設定的目標在哪裡。

狡兔三窟型的稅務是最複雜的，因爲在多個國家都有資產
和收入，牽涉到不同國家的稅法以及所得稅條約等，稅務坑洞
甚多，懂得規劃的人，可以利用各國的法律漏洞而省稅，不懂
的人，則坑洞就是陷阱，常常一跳下去就爬不起來。

三藏取經型

三藏取經型的人主要是指來美的留學生或交換學者，這類
型比較穩定。因爲移民過程比較漸進，尤其是走專業路線的人，
在美國受專業訓練後再就業，比較容易有中產階級穩定的生活。

三藏取經中也有創業的典型。例如，不少工程師到加州矽
谷就業，累積相當的經驗和產業資訊之後，決定自行創業或投
資，有的因股票上市，一夕成爲千萬富翁。

三藏取經型的稅務可分爲兩個階段：第一是留學的階段，
算外國人；就業或申請綠卡後，就算是美國人。

逃兵型

最後一種類型是逃兵型。逃避的理由很多。有逃大專聯考，

逃婚姻，逃愛情，逃政治，或逃敗壞的治安等等。這些逃兵也可能轉成以破釜沉舟、狡兔三窟，或三藏取經的方式來到美國。

但以逃兵做爲出發點，到頭來都會發現，其實每個社會都有它自己的問題：你逃過大專聯考的壓力，來到美國要面對新的社會適應和學習的壓力；你怕政治不安，到美國來後，卻又開始繳重稅，和美國政府共產。果真「亂邦不居」、「危邦不入」的話，天下哪有淨土？基本上，逃兵型的人只要認識清楚自己離開的理由，以及自己的目標，在離鄉背井，追求美國夢的路上，也有不少成功的例子。

例如在教育方面，有些學生比較活潑好動，多才多藝，在亞洲的課堂課業的重擔和激烈競爭下適應不良，來到美國以後反而如魚得水。但其中也有不少小留學生的適應問題存在。

以上幾種類型只是移民過程的大致分類。站在專業會計師的立場，我認爲如果淨資產超過100萬美元，年收入超過10萬美元的人，移民前應該和懂美國稅法及國際稅法的會計師談過，慎重考慮是否划算。如果是因爲有錢，想拿綠卡買保險，就要考慮背後的稅務問題。如果是爲了享受美國較好的生活水準，或是爲了讓子女受更好的教育，以「拿綠卡就是買服務」的觀點來看，如果你依然心甘情願繳稅買更好的教育或生活品質，那移民也是一個好的選擇。

移民與自我教育

美國是全世界對新移民最照顧的地方之一，它的成人教育

普及，移民或留學生眷屬到美國，有美國納稅人繳的稅金開的免費成人學校（adult school）讓你學英文，如果剛開始生活困難，美國納稅人免費供你的孩子營養午餐，你有急病或生產，美國納稅人也會替你付醫療費。不過，這種一視同仁的待遇，因某些新移民不守法，加上偶爾有反移民風潮，新移民的福利大減，很多新福利法和稅法都對新移民較不利。這個反移民風隨美國經濟和政治的氣候而轉變，最近兩年減低很多，移民福利又慢慢恢復，但回教激進分子製造的911的恐怖事件，又使美國的反移民風再起。

美國也是一個充滿機會的地方。因為成人教育普及，很多新移民中、老年才來當學生，到美國後轉行，美國從免費成人學校到大學研究所，都有新來的外國人，他們在課堂上和洋人共同學習，在資料豐富的圖書館鑽研，有的學得一技之長，有的變成尖端科技的專家。舊金山附近的矽谷，多少台灣來的電腦工程師在這裡創業或就業，因股票上市而一夜之間成為百萬或千萬富翁。最有名的是網路名人Yahoo的楊致遠，他六歲移民來美國，博士班沒畢業就創辦Yahoo而名利雙收。

我自己剛到美國，在紐約水牛城冰雪封凍的「寒窗」苦讀時，也一再問自己和別人：「要不要留在美國？」當時一位老師回答：「只要是好筍，總是會出頭，再厚的土也蓋不住。」

的確，移民就像移植異國土地的竹頭，水土不服的，青春與才華可能會被埋沒，但能吸收水中營養和水分的，尖尖的竹筍就能鑽出頭，再厚的土也蓋不住。

稅制篇

如來佛的手掌──美國稅制

移民美國的人像是《西遊記》裡的角色一般，離鄉背井到西方的新天地去，爲了適應新環境，要像孫悟空一樣，十八般武藝樣樣具備。不少新移民如孫悟空初下花果山時意氣風發，卻不知自己已陷入如來佛的掌控，永難脫身。

誰是如來佛？那就是美國政府。而美國的稅制就是如來佛的手掌。爲什麼？因爲美國是全世界唯一對居住海外的公民和永久居民的世界收入（worldwide income）和世界財產（worldwide estate）課稅的國家。這種稅制，已使美國政府對人民的課稅權力變得無限大，只要你成爲美國人，美國政府對你的課稅權力就無遠弗屆。也就是說，你有美國身分，即使不住美國，你忽略繳稅給美國政府，它硬是有權力去課你的稅。就像如來佛的手掌一樣，不論孫悟空多會變，多會跑，自以爲到了天邊，已脫離如來佛的掌握，事實上，還是在如來佛的掌控中。

屬人主義稅制

如來佛如何掌握孫悟空？這要看移民前後與美國政府的權利義務關係以及美國稅制的設計。

　　基本上美國是「屬人主義」稅制的國家，也是不成文法律的系統。美國國會立的法、財政部國稅局訂的條例和解釋，以及法院的判例，都是法律。一般人在新的法律訂定後，未經法院「測試」(test)前，甚至不敢隨便引用。為了財政和政治的原因，美國國會年年都立新稅法；美國幅員遼闊，老百姓又愛打官司，稅務法庭和三級法院天天有判例，種種因素交叉的結果，使美國稅法像一團線，如果弄亂了，理都理不清。但美國稅法也有脈絡可循，如果能提綱挈領、抽絲撥繭，還是可以有個眉目。

課稅三條件

　　以下三種條件決定美國的稅制：

一、身分(resident status)，分美國人和非美國人(US person and Non-US person)，身分同時由公民權和居住地(citizenship and domicile)決定；

二、收入來源(source of income)，分美國來源收入和非美國來源收入；

三、是否與美國業務有關(connecting with a US trade or business)。[註1]

[註1] trade or business直譯為行業或商業，但它在所得稅法上的意義包括所有業務。如老師這個工作就是一種trade or business，因此，這裡將trade or business譯成業務。有時，從事類似的工作，但是否以此為業在稅法上的處理也不同。如個人用自己的錢天天買賣股票，不會變成一個行業。但若開公司專門買賣股票，就是一個行業。

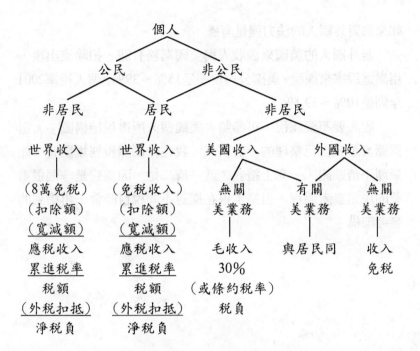

美國個人所得稅結構圖

以下三篇會詳細解釋這三個條件。如果在所得稅法上被認定是美國人，那麼世界收入和世界財產都要課稅，也就是不管錢在那裡賺的，賺的是什麼錢，美國政府都要課稅，逃不了如來佛掌握。

外國人則必須看收入來源和收入是否與美國業務有關，因為外國人只為美國來源收入繳稅，如果美國來源收入和美國業務無關，則是扣繳30％（如果是條約國國民，則可享較低的稅率。例如中華人民共和國國民的美國紅利收入，只扣繳10％）。

如來佛對外國人的法力還是有邊。

　　若外國人的美國來源收入與美國業務有關，扣除支出後，用累進稅率來課稅。美國公司稅率是15％～39％，個人稅率2001年則是10％～39.1％。

　　收入要不要課稅，可參照「美國個人所得稅結構圖」，這個圖表是我自己整理的一套模式，我在做國際稅務規劃時，如果理不清頭緒，一套上這表，就一清二楚。因為它是一個很重要的決定參考過程，也是本書在探討不同稅目時會一再提到的參考架構。

當「美國人」代價不小

因為從事國際稅務規劃的關係，我每天都要認定客戶是不是「美國人」。

在心理上，很多移民在美國四、五十年，到終老還是不認為自己是美國人；在移民法上，除非我們已歸化成公民，否則都是外來人（Alien），也不是美國人；在所得稅法上，所有美國公民和永久居民（綠卡持有者）都是「美國人」，其他人除了學生和外交官等特免人員（exempt persons）外，只要一年在美國住上183天，不管我們是合法非法，不管是「跳機」或是「跳船」，都是「美國人」，要向美國政府繳稅。

在本書中所指的美國人，除非另有說明，否則是是指課稅身分（tax status）上的美國人，而非移民身分（immigration status）的美國人。美國稅法對「美國人」（U.S. persons）和「外國人」（Foreign persons）是用兩套不同法條的，有的法條對「美國人」有利，有些法條對「外國人」有利，因此，認定客戶是不是美國人非常重要。例如，外國人在美國銀行存款利息免稅，外國人買賣美國公司股票也是免稅，但外國人收美國公司股息要扣繳30％聯邦紅利稅。美國人則不必扣繳，但須把股息併入一般

所得，按累進稅率計稅（因為布希的十年減稅計畫是漸進的，每年稅率都不同，請參考203頁所附稅率表）。

美國稅法上的「人」（persons），不單指自然人（個人，individual），還包括法人（如機構，entity）。公司、合夥企業、有限責任公司、或信託等都是法人，法人一般都需要報稅，但只有公司和一些信託是單獨的課稅主體。

法人機構是以登記地做為居住地（residency）。例如，依照美國各州法律登記設立的企業機構屬於「美國人」。不在美國登記設立的企業機構，或外國機構的美國分支機構則是「外國人」。

個人課稅身分的認定原則很複雜，所得稅法和遺產及贈與稅法對美國人和外國人的認定類似，但又不完全相同。例如：美國公民（citizen）和居民（resident）在所得稅法和遺產與贈與稅法上都是美國人。但對於居民的認定方法，兩者卻不相同。在所得稅法上，非公民是以綠卡檢定法則（Green Card Test）和居留時間法則（Physical Presence Test）來決定你是不是美國人（詳見以下說明）。遺產和贈與稅法則是以定居（domicile）來決定你是不是美國人。居留和定居的不同是在是否有意永久居留。所以你可能是所得稅法上的美國人，但是遺贈稅上的外國人，反之亦然。這是必須注意的地方。

所得稅法上的美國人

所得稅法上，美國公民是當然美國人，非公民則以以綠卡檢定法則和居留時間法則（來決定你是不是所得稅法上的美國人。居留時間法比較複雜，詳見〈數饅頭的日子〉，先談綠卡檢定法則。

綠卡檢定法則（Green Card Test）

美國所得稅法規定，一拿到綠卡，就必須給把在世界各地的收入拿來美國報稅。至於何時拿到綠卡呢？根據美國稅法，拿到綠卡號碼當天就算是拿到綠卡，就有永久居民的權益和責任，而不是等到拿到粉紅色的「綠卡」才算。

何時拿到綠卡號碼？原則上若在美國本土和移民官員面談，獲准移民，當場就會在你的護照上蓋印和寫下綠卡號碼；但若在美國本土以外地區面談，則須等到親身進入美國報到後才能拿到綠卡號碼。

只要持有綠卡，你就「鐵定」是所得稅法上的美國人，如果美國人的所得超過個人免稅額加標準扣除額，就必須報稅，不計你在美國停留的日數。只有非永久居民非公民才可用居留時間法則數日子。

數饅頭的日子──居留時間法則

以前在台灣當兵受軍訓相當辛苦，因為每天早上吃一個饅頭，所以歸心似箭的人天天數饅頭，計算還有幾天可以結訓。現在的空中飛人在太平洋兩岸飛來飛去，也要數饅頭，除了計算何時可以和嬌妻愛子相聚外，也要算算停留在美國的日子，免得付高稅給「山姆叔叔」。

兩種人要數饅頭，一是有美國公民權和綠卡的人，他們是所得稅法上的美國人，世界收入都要向美國政府報稅，但他們又想拿每年$78,000的海外收入免稅額（詳見〈兩岸三地淘金，空

中飛人如何節稅？〉）。第二種是沒有綠卡的人，要算日子來避免變成「美國人」。本文討論後者，也就是沒有綠卡的人怎樣利用「居留時間法則」。

「居留時間法則」算法如下：

1. 如果你在報稅當年在美居留少於31天，你不是美國人。
2. 如果你在報稅當年在美居留多於31天，你要用（現年停留日數乘1＋去年停留日數乘1/3＋前年停留日數乘1/6＝居留日），這種加權平均算起來超過183天，就成為所得稅法上的美國人。

如果不想要費時計算，又有每年固定時間在美國停留，最簡單的辦法是每年停留120天。如此一來依照公式計算，則加起來是180天，剛好停留美國少於183天。（這個算法較保守，因為稅法上把在美國停留的第一天和最後一天都算一天，越洋飛機常在半夜啓航，11：55和12：05就差一天，數饅頭有時會數錯，所以保守一點好些。）

「居留時間法則」有兩個例外，一是「親近關係」（closer connection），另一是免算居留時間（exclusion of "physical presence" days）。

「親近關係」這個例外情形是這樣的：如果當年在美國停留不超過183天，但按照三年加權平均法，算起來停留超過183天，而你能證明你和自己的國家的關係比和美國更親近些，如：設籍、家人居所和家具、銀行戶頭、報稅和各種報表的籍

貫聲明、投票、駕照、工作、宗教活動、社團活動等多在自己的國家，而不是在美國，那麼也不算美國人。

　　一般而言，一年在美國不超過183天的人，和外國的關係都比美國親近，但若空中飛人在太平洋兩岸都有家，太太帶著子女在美國上學，那麼在買房子和教會捐款等活動要注意，最好由在美的配偶出面，否則不小心自己變成美國人，情況可能很麻煩。而且，如果你開始申請綠卡，那麼這個例外就不能用。

　　另一個居留法則的例外是「免算居留時間」，其情況有幾種：

1. 住在加拿大或墨西哥但通勤到美國工作者；
2. 停留美國24小時以內等待轉機的旅客；
3. 因為住醫院治療無法離開美國的人；
4. 「特免人員（exempt persons）」。

特免人員只要合於護照規定，是不必數饅頭的。特免人員有以下幾類：

a. 外國政府代表和國際組織的駐美人員和家屬，
b. 持J、Q簽證暫時在美任教或受訓的專業人員及家屬。
c. 持F、M、或Q簽證的留學生。
d. 短期在美參加比賽的專業運動員。

值得注意的是，如果符合特免人員身分，就必須遵守持有

護照的規定。例如留學生不可在校外非法打工。除非學校核准到校外實習的practical training，否則一旦被查出來，可能失去外國人的身分，也須負法律上的責任。

一日之差，千萬稅金

因爲「美國人」的稅負和「外國人」大不相同，所以計算在美國停留日數就非常重要。例如，有一個人做國際貿易，時時在美國進出，經以上方程式算，他在美國停留超過183天後，那麼他當年的全世界收入，都要向美國政府報稅。如果他有比爾・蓋次（Bill Gates）的收入，那麼他欠美國政府的稅金何止千萬（美國所得稅最高稅率2001年是39.1％，還要加上州稅）。

不過，如果他是因爲重病無法回家，那麼生病的這些日子可以不列入計算。所以事先計算這些停留的日子，最好不要算得太滿，要把第一天和最後一天都算下去，時差也要考慮，以免「一日」之差而損失千萬美元的稅金。

遺產稅法上的美國人

遺產、贈與、和「隔代移轉稅」（generation skip transfer tax）稅法對居民（resident）的定義和所得稅法不同。兩法的本法都把美國公民和居民算做美國人，非公民非居民算外國人。但在施行細則（regulation）上對居民（resident）的認定卻不完全相同。所得稅法施行細則第7701條用的「綠卡檢定法則」和「居留時間法則」已在上面詳細說明，今說明遺產、贈與、和隔代移轉稅稅法對居民的定義。

根據遺產稅法施行細則（Reg.20.0-1（b）（1））的定義：

> 一名「居民死者」（resident decedent）是指在他去世時，他定居（domicile）在美國。……一個人只要住在一個地方，目前沒有確切的意願要在將來搬走，即使只住一小段時間，也算是定居。居留（residency）而無意永久居住，則不足以構成定居，定居後想搬離而未搬，則定居的事實不變。

這就是說，只要有居住的事實和久居的意願，就算定居。根據法律，定居要有三要件，如果三者缺一，則不算定居。三要件是：

一、定居的法定資格（legal capacity）；

二、身體的居留；

三、目前有意以某地為家。

遺產稅法的這個定義比所得稅的居民定義還模糊，因為連對活人，要證明他的意願都不容易，何況是個已「過去」的人。如果能證明無意（no intention）定居，那麼即使一年內居留超過183天，也不算美國居民，不必把「非美國」遺產和贈與拿來報稅。如果證明有意定居美國，那麼即使只是住幾天，也算「美國人」，必須把「非美國」遺產贈與拿來報稅。

意願的證明不易，多是根據客觀的事實去認定。擁有綠卡

一般視為居民，但若拿到綠卡後從未住美國，算不算定居美國？可能不算，也可能算，因為申請綠卡就表示你有意定居美國，而且依法你必須每年中有半年居留美國，或至少每年來報到一次，只要你報到和留下來住，即使很短的時間，除非放棄綠卡並搬離，否則就算美國人。但若你報到後從未住美國，則算不算定居美國？ 可能不算。非法移民或持非移民簽證的人，他們隨時有可能被攆走，是否有定居的法定資格（legal capacity）？法院的答案是「有」。一般而言， 若居留美國，也開始申請綠卡（不一定拿到綠卡）就表示有一定居美國意願，在遺產稅法上就算美國人。在美國買房子自住不一定（但很容易被視為有意定居美國。

以下是美國法院判例中，用來做永久居留意願的幾個指標：(1)停留在美國及外國的時間，(2)遺贈者的住宅大小、價格或特性，是自有或承租的，(3)房子位區：住宅區或度假區，(4)值錢或有紀念價值的個人物品所在，(5)家人和親朋好友所在，(6)教會和社團所在，(7)商業利益所在，(8)綠卡或其他簽證申請書，遺產、贈與、信託、其他書信或口頭聲明，(9)動機：健康、休閒、逃難、或政治庇護等。

心理上的美國人

站在租稅規劃的立場，我不鼓勵大家成為「美國人」，因為和美國關係越近，稅負越重。但是，美國有其吸引移民的地方，如穩定的政治、開放自由的社會、優良的居住環境、廣大的市場等，都吸引世界的移民，讓大家心甘情願的做個美國人。

　　暫時撤開稅法不講，做個美國人不只是辦綠卡或宣誓入籍成公民，而是在心理上自己願意做個美國人，在行動上爭取做個美國人的權利，以投票、以專業的知識來為自己、為同胞爭權益。等到自己有一天能心甘情願的交稅向美國政府「買服務」時，就是真正的美國人了。

五指山是天邊嗎？

——哪些收入可以逃出「山姆叔叔」掌控？

　　孫悟空大鬧天宮，自認為連如來佛也拿他沒輒，所以翻幾個筋斗雲，心想已經到天邊，沒有什麼可以阻礙他自由的，當他看見五座巨大的山頭擋在面前，高興自己已經走到天邊，正寫下「孫悟空到此一遊」的豪語時，突然間，「五指山」一動，變成是如來佛的手掌。嚇得他不得不俯首認罪。

　　對「美國人」而言，因為美國稅法對美國人的世界收入（worldwide income）課稅，如來佛的手掌是難逃的。對「非美國人」而言，如來佛的法力終究有邊。因為美國稅法對非美國人只能課美國來源的收入，或與美國業務有關的收入。

　　收入一般分為美國來源的收入（US source income），及非美國來源的收入（non-US source income）。收入的種類包括薪資（salary）、利息（interest）、股利（dividend），及其他種類的財產收入等（見附表）。

收入來源認定表

收入種類 （type of income）	收入來源認定方式 （source determined by）
個人服務所得 （compensation for personal services）	提供服務的地點* （where services are performed）
紅利 （dividends）	給付公司的設籍地 （residence of paying corporation）
利息 （interest）	給付者的設籍地 （residence of payer）
房租 （rents）	房屋所在地 （where property is located）
權利金—自然資源 （royalties--natural resources）	財產所在地 （where property is located）
版稅或權利金—專利或版權等 （royalties--patents, copyrights, etc.）	財產使用地 （where property is used）
退休金、年金 （pension）	服務提供所在地 （where services were performed）
賣出存貨—買來的 （sale of inventory: purchased）	產品賣出的所在地 （where property is sold）
賣出存貨—自製的 （sale of inventory: produced）	兩地分攤 （allocation）
賣個人財產 （sale of personal property）	賣方的報稅國 （tax home of seller）
賣房地產 （sale of real property）	財產所在地 （where property is located）
賣天然資源 （sale of natural resources）	兩地分攤 （allocation）

在收入來源的認定方面，首先，在利息的部分，美國來源的利息包括債券、期票、或美國居民或企業給付的利息。另

外，不論是美國或外國公司給付的利息，只要這筆錢跟美國的業務有關，就必須要申報。

利息課稅的主要例外是以「外國人」身分在銀行或儲貸會存款利息免稅，以及以「外國人」身分買保險利息免稅（詳見〈存款美國銀行省稅及避免風險要訣〉）。

一般而言，美國公司的紅利，算是美國來源的收入。外國公司的紅利，算是外國來源的收入（詳見〈證券投資如何省稅〉）。但也有例外：當這家公司在美國屬地國（例如波多黎各）擁有分公司時，可能享有優惠。

另外一個紅利免稅的情況是當外國人在外國投資一家母公司，而這家公司25％的收入來源是來自美國的分公司或子公司時，紅利也可以免稅。

薪資部分，在美國居留期間的工作收入就是美國來源的收入，必須繳稅。美國來源薪資也有不必繳稅的例外：以外國人身分在美停留不超過三個月，且由外國雇主付的薪資低於3000元以下就可免稅。

房地產方面，房子的所在地即是收入來源地。

個人財產（personal property，即動產）包括合夥公司的股票、利息、機器設備、或是家具等。動產買賣一般以賣方的設籍地（residence）來決定收入來源。例如，賣方如果是美國人，則收入屬於美國來源。賣方如果是外國人，則收入屬於外國來源。以個人財產來講，設籍地就是報稅國（tax home）。

個人財產的買賣收入也有例外的部分。例如：外國人買賣美國存貨、具折舊價值的資產、以及美國分公司或辦公室等，

雖都是個人財產的買賣，但因與美國業務有關，算美國收入。

對外國投資人來講，投資美國股票是省稅的方式之一。舉例來說，如果你投資100萬元在美國成立公司，公司每年淨賺10萬元，如果你分配盈餘，要扣繳聯邦稅30%和州稅（加州7%），如果你不分配盈餘，10年下來就有100萬元的累積盈餘。如果這10年中都沒有分紅，而在第10年賣掉你的股票，這100萬美元在台灣和美國兩邊都將不必繳稅（詳見〈證券投資如何省稅〉）。

發現可免稅的漏洞嗎？別高興得太早！美國稅法規定，當一家公司累積盈餘超過25萬美元，沒有適當的理由去累積盈餘，也不分配紅利給股東的時候，會被處以最高所得稅率（39%）的累積盈餘稅（accumulated earnings tax）。這是一個屬於罰款性質的稅。許多公司為了避免這項罰款，於是提出合理的累積盈餘的理由，證明累積盈餘不是為了逃稅。

許多移民以為，只要自己不在美國有收入，就不必向美國政府報稅。這是一個普遍存在的錯誤觀念。因為只要你的課稅身分是「美國人」，你就有對美國政府報稅的義務。在本書當中，我將會舉不同的例子來說明移民或投資選擇對稅的影響。

「血汗賺錢」還是「錢賺錢」

——與美國業務的關係

　　除了報稅身分(美國人和非美國人)、和收入來源(source of income)外，決定收入如何課稅的第三個條件是：經濟活動是否「有效地和美國行業或商業有關連」(effectively connected with a US trade or business)。這麼長的一個詞到底是什麼意思？trade指的是行業，business指的是商業或生意。兩者可以用「業務」一詞來表達，「有效地和美國行業或生意有關連」其實就是「和美國業務有關」。

　　「業務」的定義很廣，不只是開店做生意。如果你的活動在美國本地有很多接觸，多半會被視為與美國業務有關。在美國不論學生、老師、工友、總經理，或是店老闆都算一種行業。所以，不論自雇或受雇，不論賣的是服務或產品，都算一種業務。外國人不論在美國做事或自己做生意，收入都是「有效地和美國行業或商業有關連」。如果你投資美國合夥事業，則合夥不課稅，合夥人也算在美國做生意。

　　如果成立公司(corporation)做生意，則情況就有點不同。在美國稅法上，公司是獨立的課稅單位，公司做生意(business)，

因此，公司盈餘和美國業務有關，用累進稅率課稅。股東只是投資，不算做生意，因此紅利和資本利得與美國業務一般是無關。

以投資股票、期貨來說，如果你自己在美國買賣股票或債券，那是投資（investment），不是做生意（business）。但如果你是股票經紀商，那麼股票買賣就是做生意。還有，如果你以在美國的事業的資金（如週轉金等）來投資股票，債券，那就與美國業務有關。

這個法則也可適用於其他「非業務」的收入，如利息、紅利、房租、版稅、股票、年金等。這些收入原則上與美國業務無關，但若扯上美國的業務，就變成與美國業務有關。

薪資部分，當你在美國提供個人服務而收到的薪資，通常與美國業務有關，反之，則是和美國業務無關，外國人在外國替美國公司工作，薪水不必在美國繳稅。在生意盈虧方面，如果盈虧的產生過程是在美國，那就和美國的業務有關。房地產部分，只要房地產是在美國，也就和美國的業務有關。

另外，以下還有三種情況的外國收入被歸為和美國的業務有關：第一，租金和版權的收入，是來自於美國的貿易活動；第二，因在美國直接的貿易活動而產生的紅利或利息；第三，商品買賣的損失或利得，如果經過美國的辦公室或美國的場地，就和美國的業務有關。

最後，對許多海外投資人重要的兩個項目是分公司稅以及外國稅扣抵。

外國公司在美國設立的分公司，除了要繳和美國有關的所得稅之外，分公司分配盈餘給總公司時，還要繳30％分公司

稅,以及分公司利息稅。這個設計基本上是要把分公司和子公司的稅負變成一樣的。分公司是由總公司直接經營,子公司則是由母公司投資,在美國成立的公司。

外國稅扣抵的原則,詳見〈兩面不是人──雙重課稅問題〉。

外國人若從事與美國業務無關的業務,而收入的30%(或是較低的條約國稅率)的稅負已被扣繳,則不必報稅。反之,如果外國人(或公司)從事與美國業務有關的活動,必須申報這些活動的收入和支出,以計算淨收入。即使你沒有淨收入,甚至虧損,或即使你的收入因為所得稅條約而免稅,你仍然要申報。目前在中華人民共和國,香港及台灣,只有中華人民共和國與美方簽有所得稅條約。

已婚的外國人,如果配偶不是美國人,通常要和配偶分別報稅,且只能有一個免稅額(personal exemption)。只有和美國商務有關的支出,才能申報列舉扣除。同時,外國人也可以申報小孩撫養寬減額,收入及外國稅扣抵(foreign tax credit)。

以上簡要的說明,證明不管是移民或投資,與美國的權利與義務關係,是由一套精巧嚴密的制度設計來監控。稅法如此繁複,對新移民而言,的確是一項新生活的挑戰。

如果將移民比喻為結婚,那麼這是一個需要不少婚前諮商的審慎選擇,才能提早做好新生活的各種準備。如果只想要談戀愛,例如短期的留學,或是短暫的商務考察,或是想要將錢投資美國股票市場等的行為,最終常會與美國政府的稅制扯上關係。戀愛不久之後,權利與義務關係會突然成為一個嚴肅的

課題，不得不面對。新移民即使以為可以像孫悟空中般自由自在地跑來跑去，如來佛手中的法寶就是那個稅法的緊箍咒，不得不小心！

兩面不是人
——雙重課稅的問題

　　孫悟空騰雲駕霧，整年在太平洋兩岸——台灣、大陸、香港、和美國遊走，無限逍遙，商機無窮。等到每年的報稅季節，才發現自己像豬八戒照鏡子一樣：兩面不是人。為何落到如此下場？原因是雙重課稅的問題。

　　在國際移民與國際投資中，常會遇到母國課稅之外，移民國或投資國也課稅。也就是雙重課稅的問題。雙重課稅是否嚴重，要視母國和移民投資國的稅制和稅率。以兩岸三地（台灣、大陸、香港）投資移民美國來分析，我們可以比較不同稅制對租稅的影響。

　　美國是屬人主義的稅制，對美國人（公民、綠卡持有人、和居民）課世界收入（worldwide income），只對非居民外國人則課美國收入。中國大陸也採屬人主義的稅制，但大陸只對居民課世界收入，非居民不論是不是中國公民都只課中國來源收入。香港採屬地主義，也就是只課香港來源的收入。台灣的個人綜合所得稅採屬地主義，只課台灣和大陸收入，但營利事業所得稅採屬人主義，課世界收入。

移民美國或投資美國，雙重課稅的問題最嚴重。因為美國不只對「居民」課世界收入，連對居住海外的公民和永久居民都課世界收入。也就是說，只要拿到綠卡，就難逃「山姆叔叔」的掌握。例如，你拿到綠卡，雖然每年只到美國報到一次，但你在台灣和大陸或香港的薪水、股利、利息、房租收入等，都要拿到美國來報稅和繳稅。

在國際稅法中為了減輕雙重課稅的問題，屬人主義的稅法中都有「外國稅扣抵」（foreign tax credit）的條款，或「外國稅扣除」（foreign tax deduction）的條款，來避免雙重課稅。「外國稅扣抵」是在計算出稅額之後，再以每繳外國稅一元扣抵美國稅一元的方式來減稅。「外國稅扣除」是未計稅之前，把外國稅拿來當支出減掉收入。一般而言，扣抵的優惠比扣除多。

美國的外國稅扣抵法則非常複雜，不同國家和不同收入的外國稅有些可互抵，有也不可互抵，限於篇幅，無法詳述。舉一個非常簡單的例子來說明：

甲的課稅身分是美國人，他在香港賺100美元，在美國賺150美元。他的香港稅率是15％，美國稅率是30％，如果兩地分開計稅，他要在香港繳稅15美元（$100×15％），在美國繳45美元（$150×30％）。但因為美國課徵世界收入，甲的總收入250美元（$100＋$150）都要在美國報繳稅，以30％稅率計算，就要繳75美元（$250×30％）的稅。其中，香港的收入100美元課稅課了兩次，一次在香港，一次在美國，所以總稅負是90美元。「外國稅扣抵」可避免香港賺的100美元雙重課稅，因為加上香港收入，使美國稅負從45美元增加到75美元，增加的30美元就是可

扣抵的最高稅額。因美國人在香港只繳15美元的稅，比可扣抵的30美元還少，所以全部的15美元都可以拿來扣抵，美國的稅負減爲60美元($75－$15)。美國人只要向美國政府繳60美元稅就可以了。

以同樣的例子，但用外國稅扣除(foreign tax deduction)，則美國稅負是(美國收入$150＋香港收入$100－香港稅$15)×美國稅率30%＝美國稅負$70.5。

比起用外國稅扣抵的60美元稅負，外國稅扣除的稅負多了10.5美元。

外國稅扣抵(credit)和扣除(deduction)計算方式如下：

	香港	美國	美國	美國
	(香港收入)	(美國收入)	(扣抵)	(扣除)
美國收入		$150	$150	$150
香港收入	$100		$100	$100
總收入	$100	$150	$250	$250
外國稅扣除				$15
應稅收入				$235
稅率	× 15%	× 30%	× 30%	× 30%
稅額	$15(a)	$45(b)	$75(c)	$70.5(d)
可扣抵稅額		(c-b)	$30	
扣抵稅額		Min (a, c-b)	-$15	
淨稅負	$15		$60 (e)	
外國稅扣抵			(d-e)	$10.5
和扣除之差				

中美所得稅條約

比起外國稅扣抵，所得稅條約對國際移民和投資有更優厚的待遇。簡單而言，所得稅條約將重複報稅的收入或分配給其中一國，或給條約國居民或公司優惠稅率，如此，兩個國家各課部份稅。例如，一般外國人投資美國公司股票，分配紅利時要扣繳30％所得稅，但大陸居民投資美國公司，則只要扣繳10％所得稅即可。

目前兩岸三地和美國之間，只有中國和美國有全面的所得稅條約。香港，台灣都只和美國簽署航運所得稅條約，並沒有一般性的條約。香港1997以後實施一國兩制50年，所以到目前為止，中國和美國的所得稅條約還未適用於香港。

所得稅條約的目的有二：一是國際查稅，也就是合約國一方有權力要求他方提供報稅資料。二是避免雙重課稅。

對老實報稅人而言，所得稅條約是個保護投資和省稅的好工具，可以好好運用；但對想要藏財，藏收入的人而言，所得稅條約則可能是殺手。所以當加拿大要和台灣簽所得稅條約時，台灣內部反對聲浪大起，最後以延期了事。香港人也不贊成和美國簽訂所得稅條約。

另外，和美國和加拿大簽定所得稅條約，對香港和台灣比較不利的地方是：台灣對個人只課台灣和大陸來源收入，香港對個人和公司都只課香港來源收入，美國來源收入是不課稅的。簽約，對台灣和香港政府的稅收增加不大；反之，美國和加拿大課世界收入，一旦簽約，美加卻可以收到大好處。所以

很多稅法專家都不鼓勵香港和台灣與美加簽訂所得稅條約。

美國和中國的所得稅條約的主要內容重點如下：

在美個人服務所得免稅範圍：

項　　目	停留美國時間限制	雇主（付款人）	免稅金額限制	條文號碼（Treaty Article Citation）
獎學金（scholarship or fellowship grant）	無限制	任何美國居民或外國居民	無限制	20(b)
獨立的個人服務（independent personal services）	183天	任何契約簽訂者	無限制	13
研究或教學所得（teaching or researching）	3年	任何美國研究教育機構	無限制	19
學生或受訓者生活津貼	無限制	任何外國居民	無限制	20(a)
學生或受訓者個人服務所得	無限制	任何美國居民或外國居民	$5,000	20(c)

其他非個人服務之收入：

項　　　　　　　　　　　　　　　　　目	優惠稅率
利息（interest）	10%
利息：抵押貸款或付給外國母公司	10%
股利：（dividend）美國或外國母公司	10%
資本利得（capital gain）	30%
電影和電視版權（motion picture and television copyright royalties）	10%
工業上的權利金或版稅（industrial royalty）	10%
房地產所得及自然資源版稅（real property income & natural resources royalties）	30%
年金（pension and annuities）	0
社會安全給付（social security payment）	30%

　　目前兩岸三地的所得最高稅率和美國比較起來，中國大陸
45％，台灣40％，香港稅率都在15％～17％之間，美國聯邦2001
年起分年降低，分別是（2001年39.1％，2002-2003年是38.6％，
2004-2005年是37.6％，2006年以後是35％）。對高所得人而言，
把大陸和台灣收入拿到美國報稅，減掉外國稅扣抵（foreign tax
credit）後，除非因AMT Tax，否則不見得會增加太大的稅負，因
爲最高稅率和美國相當，甚至更高。但對香港人較吃力，因爲
香港稅率不到美國一半，在雙重課稅情況下，只能抵一半，還
要再負擔另一半的稅，所以對有雙重籍貫的香港人較不利。

　　至於如何避免雙重課稅？有不少法條可適用，不見得努力
藏錢才有好處。重點是瞭解稅法，加以運用，做好國際稅務規
劃。瞭解之後誠實申報，可避免不必要的稅負。

移民簽證篇

嫁妝一飛機

——拿到綠卡當天欠稅多少？

東方人取妻給聘金，嫁女兒給嫁妝；美國人的婚禮由女方付錢，移民美國就像嫁女兒一樣，也要賠錢。以稅法而言，和「山姆叔叔」結婚，你想要拿聘金，還是給嫁妝？哪些是聘金？嫁妝有哪些？怎樣賴掉嫁妝？

用會計的術語來說，財產的增值有兩種，一種是已實現的收入（realized income），一種是未實現的收入（unrealized income）。例如，用20萬美元買一棟房子，第二年增值到30萬美元。因為自己住，所以沒賣。這10萬美元的增值，就是未實現的收入。反之，你看房市那麼好，就把這棟房子賣了，則這10萬美元增值（capital gain）就是已實現的收入。

美國課稅的原則，一般是只對已實現的收入課稅，也就是在有買賣或移轉時課稅。如果財產不移轉，那麼就不課增值的資本利得稅（capital gain tax）。

對美國人而言，反正今天不課稅明天課，國稅局總有一天等到你，無所謂。但對新移民而言，未實現的收入，也就是移民前未賣的財產的增值，就成為移民後的夢魘。

　　以股票為例，你結婚時，你的父親給你他手中擁有20年的一些甲公司的股票做嫁妝。他買的時候一股只有一美元，他的成本（basis）是一美元，你在受贈時股價是20美元，等到拿到綠卡，股價已高達40美元。

　　你為了負擔移民美國初期的費用，拿到綠卡當天就把這股票賣了40美元。你猜自己要付多少稅？如果你看過我這篇文章，在拿到綠卡的前幾天就把股票脫手，你要付多少稅？

　　美國的所得稅法規定，贈與的財產是以贈與者的成本為受贈者的成本，所以你的甲公司股票成本是你父親的成本一美元，而非結婚當天的市價20美元。

　　美國所得稅法又規定，綠卡持有者，不論拿到綠卡多久，和公民的稅負是一樣的。也就是你在賣股票時，要以40美元的賣價算收入，一美元算成本（而非拿到綠卡時的市價$40當成本），賣價減去成本，淨賺39美元。若以長期投資的資本利得稅最高稅率20%計算，你需繳7.8美元的稅。而且，因為台灣、香港和大陸都不課股票買賣的資本利得稅，所以也沒有外國稅可扣抵，所以你需淨繳7.8美元的稅給「山姆叔叔」。

　　反之，你接受我的建議，在拿到綠卡的前一天，就把這個股票賣掉，因為香港、台灣、和大陸都不課資本利得稅，你是外國人，美國也課不到你，你的股票買賣根本一毛錢稅都不必繳。

　　從拿到綠卡前一毛錢稅都不必繳，到拿到綠卡後要繳7.8美元的稅，這中間相差的7.8美元的資本利得稅，就等於是你和「山姆叔叔」結婚的嫁妝。如果你有一萬股甲公司股票，就要繳7萬8000美元的稅。不賴掉，你捨得嗎？

　　未實現的收入有很多，除了股票外，還有房地產的增值，債券和珠寶的增值，以台灣、香港和大陸房地產增值之快速，移民在把財產賣掉轉移到美國時，馬上就遇到美國的財產增值課稅的問題。除了股票以外，大部分財產增值台灣、香港和大陸都要課增值稅，要不要在移民前賣，要比較兩邊的稅率。一般而言，雙重課稅只會加稅，不會比單一課稅省稅，如果等到移民以後再賣，這些移民前未實現的增值收入，也成爲美國政府課稅的對象。

　　另一個移民嫁妝是退休金。

　　美國的退休金制度有三種：第一種是存進退休金帳戶的錢可以減收入（或不算收入），領出前在帳戶裡累積的增值都不課稅，但一旦領出來，則本利都算一般收入課稅。一般退休金如401K、傳統個人退休帳戶（Traditional IRA）等都是；另一種是存進退休金帳戶時不可減收入，領出前退休金在帳戶裡累積的增值不課稅，領出來時只有利潤算一般收入課稅。不可扣減的傳統個人退休帳戶（Non-deductible Traditional IRA）就是第二種；第三種是存進退休金帳戶時不可減收入，領出前退休金在帳戶裡累積的增值不課稅，領出來時本利都不課稅。新的羅斯個人退休帳戶（Roth IRA）和公司的羅斯存款（Roth Contribution）都是。如果在59歲半以前領出退休金，除了收入報稅外，還要加課10％的罰款。

　　很多移民在拿到綠卡後退休，按照老的美國稅法，退休金以領到那年報收入，本利或利潤應該課稅。但新移民在退休來美前，並未享受美國退休金減稅的好處，退休來美後，卻需要把一生積存的退休金拿來繳稅。這對新移民，尤其是拿全退退休金的

新移民，退休金一下子就把收入推到最高的稅級，如聯邦39.1%
和加州9.3%，如此，一半退休金都要給「山姆叔叔」，是一筆
非常大的損失。

自從美國有「羅斯退休金帳戶」以後，新移民可以不可以因
為未享受美國退休金減稅的好處，再利用原居國規定退休金不繳
稅的法條，比照羅斯退休金帳戶的免稅辦法，免掉退休金收入
呢？這是一個值得研究爭取的立場。如果成功，則嘉惠新移民無
數。

如何賴掉這些嫁妝？最簡單的辦法是在移民報到前，先把未
實現的收入改成已實現的收入。例如，把股票、債券賣掉，之後
再買新的；或把房地產賣掉，換新的；把退休金全領出，放在銀
行生息或買年金。如此可以把數十年累積的財產增值都「洗」掉。

反過來說，如果你有賠錢的投資，不必急著在拿綠卡前賣，
因為外國人的股票虧損不能抵稅，拿到綠卡後，你就是美國人，
所有經商和投資的虧損都可抵稅，今年抵不完，還可轉帳
（carryover）到以後年度抵稅。如果賺錢的投資是給「山姆叔叔」
的嫁妝，那麼賠錢的投資就是「山姆叔叔」給的聘金，不拿白不
拿。

這是一個簡例，假定張女士是美國公民，在台灣的父親三年
前過世時留下大筆股票，經過三年才和台灣的國稅局談妥遺產稅
的條件，她和在台灣的兄弟姊妹要決定如何繼承。因為三年來台
灣股票和房地產大跌，股票的市值減少80%。她在繼承時有哪些
美國稅的問題呢？

一、她父親不是美國人，父親財產在台灣，她和父親都不
　　必在美國繳遺產稅；

二、如果她拿的是增值的財產，那麼她會有所得稅的問
　　題，現在她繼承的不是現金，就是賠錢的股票，不但
　　不會有美國增值所得稅的問題，還有機會拿來省稅。

　　張女士該拿股票還是現金，我建議拿股票。因為，台灣的股票增值不課稅，賠錢也不可抵稅。她的兄弟是台灣人，拿股票，台灣不能抵稅，美國更沒用，沒有任何租稅的好處。但她不同，她是美國公民，她繼承的股票，成本是她父親過世時的市價500萬美元，現在市價100萬美元，她若在繼承後馬上在公開市場上賣掉股票或賣給非關係人，她有400萬美元的資本損失（capital loss, 5m-1m＝4m），可以拿來抵她現在和將來的資本利得。但她不能把股票賣給兄弟等關係人，因為關係人買賣，虧損不能抵稅。如果她不是繼承遺產，而是父母親的贈與，虧損也不能抵稅。

　　她可以省多少稅。若她住美國加州，且有足夠的長期資本利得（long-term capital gain）可以拿來和這損失互抵，以20％聯邦和9.3％加州稅率計算，則至少可以省下109萬美元（4m×9.3％+4m×（1-9.3％）×20％=1.097m）的所得稅。如果她拿這損失來和有短期資本利得（short-term capital loss）互抵，以聯邦39.6％（2000年）和加州9.3％計算，她的省稅額可達180萬美元（4m×9.3％+4m×（1-9.3％）×39.6％=1.808m）。

　　以上這個例子，說明好的租稅規劃，可以讓你不要走險路，又可省下大筆稅金。

再談拿綠卡前已增值的財產，如何在拿綠卡後避開美國稅。

動產如股票等比較容易處理，也很容易轉投資，很容易在移民前處理。但不動產處理不易，尤其移民後可能有些無法預見的困難，尤其對年紀較大的人，移民要適應比較困難，保留自己的老家以做退路是有必要的。何況美國自1997年以後，准許個人出售過去五年中自有自住兩年以上的主要住宅（principal residence）時，可以有25萬美元（夫婦有50萬）的免稅額（見〈生根的第一步——購屋置產〉）。所以，新移民至少有三年的時間去決定要不要把自己的老家賣掉。

「山姆叔叔」固然年輕英俊，但只要早些準備，就不必帶著一飛機的嫁妝，來當「山姆叔叔」的新娘。高高興興辦喜事，不必「陪」嫁，更不必「賠」嫁！如能好好規劃，能有聘金拿就更美了。

兩岸三地淘金，空中飛人如何節稅？

2001年9月，在兩週內，我分別對兩個團體演講，談國際稅法。一是加州矽谷的華人年輕電腦工程師，另一是中國的經貿委員會司長級帶來的中國各大國營事業的財務最高主管。這兩群人想知道的東西不同：年輕的電腦工程師想知道到兩岸三地創業和就業的國際稅問題；中國的財務高級主管，想知道的是到美國投資和創業的國際稅問題。他們的方向雖不同，但目標卻都是一致，那就是抓住兩岸加入WTO的商機。

2002年1月，兩岸同時加入世界貿易組織（World Trade Organization, WTO），這是兩岸經濟上的大事，WTO將迫使兩岸，尤其大陸的經貿更加開放。大陸想在國際經濟上扮演重要的角色，也需要走向全球，尤其到美國來投資。不論是美國公司到大陸投資，或是大陸到海外投資，都需要兼具雙語和雙文化的華人移民和留學生，也將提供更多的工作機會給華人移民和留學生，也難怪年輕的電腦工程師在美國夢之外，又加個兩岸三地淘金熱。

　　自從去年和今年美國達康(.com)經濟泡沫化，科技股股票大跌，很多想靠股票上市或員工認股權作百萬富翁夢的人，因為認股權(stock options)變成一文不值的糊壁紙而夢碎。美國加州的矽谷(硅谷)華人圈，最熱門的話題已不再是股票上市和認股權，而是到兩岸，尤其中國去發展。台灣和中國如果能把握這個機會，吸收具頂尖科技和雙語雙文化的人才回鄉服務，將對兩岸未來科技和經貿的發展，有絕對的影響。

　　不論從兩岸三地來美國追尋美國夢，或是從美國回兩岸三地淘金，我們可預見，未來幾年，空中飛人穿梭太平洋兩岸將更頻繁。空中飛人將面臨哪些租稅的問題？他們如何報稅和節稅，將是重要的問題。

　　空中飛人面臨的主要租稅問題是雙重課稅的問題，也就是居住國和母國都要課稅。現在的人，有好幾個國家的公民權，拿幾個國家的護照是常事，如有人是美國公民，香港的永久居民，在中國工作。他們不只有雙重課稅，甚至多重課稅的問題。

　　不論你是由美國公司外派的，或是由當地的公司聘請的，哪個國家的稅由誰來繳，應該是先做規劃，也要列在聘用合約上，否則以台灣最高個人所得稅率40％，中國最高個人所得稅率45％，美國最高稅率39.1％，加上州稅(加州9.3％)來計算，你會發現自己以為拿了高薪，也興匆匆地上任，等到要繳稅時，才發現自己的收入還不夠付稅，更嚴重的是不報稅，等到幾國稅局發現，那麼很多租稅優惠你都不能用，那麼下場是很慘的。

　　避免雙重和多重課稅的方法基本上有幾個，一是利用免稅額，台海兩岸三地的所得稅法中，對外國人投資和外國人都有一

些免稅的優惠，美國稅法911條中也有本文討論的8萬美元（2002年）免稅額。這是最直接有效的免稅方法。第二爲外國稅扣抵，只要是課世界收入的國家或地區，都有外國稅扣抵，如台灣的營利事業所得稅和中國、美國的所得稅法，都有外國稅扣抵的條文。第三爲所得稅條約，第二和第三法請參見「兩面不是人—雙重課稅的問題」。替空中非人作稅務規劃，我一般都是比較各國的稅法，計算出不同的稅負，再看以上三種方法，那種方法最省稅，只有如此，才不會在一個國家省了半天稅，卻到另一個國家去繳稅。

本文所談的空中飛人有兩種：一種是申請也拿了美國綠卡，但留在原居地居住或工作的人；另一種是已在美國建立基礎，已持有美國綠卡，或是美國公民，但到海外工作居留的人。從美國稅法的觀點來看，你可能因父母都是公民，所以生下來就是公民，但你不曾在美國居住。或是你離開美國已超過20或30年，只要你繼續持有綠卡和公民權，你還是要報稅或繳稅。以下就是一個案例。

大衛和愛美夫婦（假名）都是台灣的中學老師。它們不忍小孩在台灣受升學煎熬之苦，所以把一子一女送到美國唸書。爲進一步「造福」孩子，夫婦也申請了綠卡，在美國買一棟房子給孩子住，自己則成了空中飛人，每年寒暑假都到美國住二、三個月，享受打了折扣的天倫之樂。

大衛夫婦兩人的薪水加起來每年約145萬台幣，因爲兩人都是中學老師，所以在台灣免繳所得稅。他們善於理財，存了不少錢，每年利息約27萬台幣。根據台灣稅法，他們有27萬台幣免稅

額，所以利息也免繳稅。夫婦享受台灣租稅的各種優惠，經濟非常充裕。

大衛夫婦自己在台灣享受，小孩在美國更舒服，子女不只唸公立小學到高中免費，還以沒有收入為由，享受免費午餐。大衛夫婦拿到綠卡多年，不只從未向美國政府繳稅，最近孩子上大學，還向美國政府申請子女清寒助學金。

最近美國國稅局去信給他們，質問他們為何每年都有錢付房屋貸款，要他們說明銀行電匯的金錢來源。並要他們報稅。換句話說，美國政府問他們：「你們沒有收入，不繳稅。那麼，買房子付貸款的錢從那裡來？」

我接下案子，替他們計算結果，如果查稅員嚴苛，那麼他們不能享受免稅額，一年欠稅近一萬美元，幾年下來，罰款加利息近10萬美元。大衛夫婦嚇壞了，他們沒想到會欠稅如此多，更沒想到他們已犯詐欺罪（偽報收入向美國政府申請子女清寒助學金）。

因不懂美國稅法而違法欠稅的例子。大衛夫婦只是千萬件個案之一而已。以他們的情況，可以一毛錢的美國稅金都不必繳，又可大大方方地匯款進出美國，為什麼會弄到這個地步呢？

根據美國稅法，美國永久居民（綠卡持有人）和公民須申報「世界收入」，也就是不管你在天涯海角賺的錢都須要報稅

不過，為了鼓勵美國人出國經商發展，聯邦稅法特別規定，美國永久居民（綠卡持有人）和公民在一年內如果合於三個條件，則每年的勞力所得（earned income）在7萬8000美元（2002年增加到8萬美元，以後隨物價指數逐年調整，見附表）以內免稅。這

就是美國稅法第911條的「外國勞力所得減免」（foreign earned income exclusion）。

空中飛人免稅額度表

年　　　　度	免稅額度（美元）
1998	$ 72,000
1999	$ 74,000
2000	$ 76,000
2001	$ 78,000
2002	$ 80,000
2003以後	隨物價指數調整

在美國，911是警察局的急救熱線，和台灣的119一樣。美國稅法第911條制定時就是以急救美國的國際貿易，讓美國公司的外派人員能在他國競爭爲理由。沒想到這法條也成爲空中飛人的避稅天堂，我總是開玩笑，說美國稅法第911條不是救護車，是聖誕老公公的雪橇，「山姆叔叔」每年用來載聖誕節禮物給海外的美國人的。

911條的合格三條件是：第一，你必須有勞力所得（earned income，血汗錢）；第二，你的報稅居所（tax home）必須在外國，第三，你必須是以下三種人之一：

一、美國公民全年設籍（bona fide residence）外國；
二、美國永久居民全年設籍外國，是居住國公民，且居住

國和美國訂有所得稅條約;

三、公民或永久居民在過去12個月內已居留(physically present)在外國330天以上。

報稅居所(tax home)指你向稅務單位申報時,認定你的家在那個國家,多半是你的主要工作處,你的家人住在哪裡並不重要。一般而言,如果你預定在海外停留超過一年,你的報稅居所就在海外。如果預定在海外停留少於一年,那是旅行,你的報稅居所在美國,你可以報旅行支出,但不能享受免稅額。如在大陸經商,以大陸居民身分報稅,你的報稅居所就在大陸;但如果你的主要居住地是美國,則報稅居所是美國。

這項「空中飛人」每年8萬美元(以後年度隨物價指數調整)的免稅規定是夫婦分開計算的,如果夫婦都是高收入,那麼一年的免稅額高達16萬美元。如果永久居民(綠卡持有人)和公民是自行營業的專業人員,淨收入比照薪資。全部算勞力收入。其他資本需要甚多行業,如開工廠的自行營業者,按照勞力的比例,計算勞力所得,但不可超過30%的淨收入比照薪資算勞力收入。

除了所得稅外,「空中飛人」也可能要繳社會安全稅。一般原則是:如果你的雇主是外國人(個人或公司),你和雇主都不須繳社會安全稅。如果你的雇主是美國人(個人或公司),那麼雇主要替你付一半,並代你扣繳一半的社會安全稅。也就是各繳所得7.65%的社會安全稅。如果你是自雇主,那你既是老闆,也是員工,既然你是美國人,你就是美國老闆,你就要繳老闆和員工的社會安全稅,全部要繳淨收入的15.3%社會安全稅,這就是自雇

主稅（self-employment tax）。

　　美國的社會安全金制度是由社會安全稅來支持的，現在工作的人，繳社會安全稅來負擔退休的人的生活和醫療。社會安全金有兩部分，一種是老人年金，類似於退休金，另一種是老人醫療。只有工作超過10年，並累積繳社會安全稅超過40點的人，才能享受社會安全金和老人醫療。社會安全金的每點要求的收入很低，每年調整，2001年只要賺超過$830，就可拿到1點，全年收入只要超過$3320，就可拿最高的4點（2002年每點$870，4點共$3480），10年就可拿40點。很多新移民剛到美國，寧可拿低報酬現金，也不願繳所得稅和社會安全稅，等到老病或退休時，拿不到老人醫療的保障，才來後悔，這是很可惜的。

　　替外國雇主工作的空中飛人不須繳社會安全稅，但可以自願繳。如果準備老年時回美國退休，那麼應該考慮自願繳社會安全稅。如果你不願把全部收入拿來繳社會安全稅，而有兼差的工作，也可報為自雇主，也就是報一個C表和SE表（Schedule C & Schedule SE），或報一個「其他應付社會安全稅的收入」，如此只要每年有超過4點的社會安全收入，並加報15.3%的社會安全稅，以4000美元收入來算，那麼每年繳$610，10年就可享受美國的社會安全福利。有關美國的社會安全金和社會安全稅，請上網www.ssa.gov查詢。

　　因大衛夫婦的薪水一年低於8萬美元，他們的雇主又是外國人，如果他們事先規劃，每年不要在美國停留超過35天，而且每年都照規定報稅，那麼他們薪水，不須繳所得稅和社會安全稅，一萬美元利息則可用來抵一家四口的個人免稅額（personal exemption）。如此算來，他們連一毛錢的美國稅金都不必繳。他們省下的稅金，足以每年帶著子女環遊世界。

　　空中飛人不只可以享受8萬美元的免稅額，還可以享有房屋開銷的免稅或扣除（housing exclusion or deduction），只要房屋開銷超過美國公務人員職等GS-14第一級年薪的16％以上，也可以拿來抵稅。2001年的房屋開銷超過$10,557（$65,983×16％）的部分，可以拿來當免稅額或扣除額。8萬美元收入免稅，加上房屋開銷，每人的免稅額可以達到十多萬。例如，在海外租房子的房租，水電，保險費等，都在免稅額的計算當中。如果是自住宅，貸款利息和房屋稅，可享有列舉扣除（itemized deduction）的抵稅項目。

　　空中飛人最常見的問題是，「我好幾年都沒報稅，可以不可以補報？還可以不可以享受免稅的好處？」答案是可以。美國國稅局規定，只有準時報稅的人，才可以享受免稅的好處。在海外工作的人，在稅表到期的次年以前報稅，都算準時，若久未報稅，在國稅局查稅以前主動報稅，也算準時申報。但是，等到國稅局來查稅時，就不算準時申報。

　　報稅，可以環遊世界；不報，欠稅加犯法。聽來荒謬，卻是事實。「大衛和愛美」有成千上萬，只是各個情況不同而已。因此，不論有美國綠卡或擁有美國公民身分，都應依本國稅法和美國稅法做稅　務規劃和報稅。居住海外的美國永久居民和公民的報稅截止日期是每年的6月15日，可以申請延期至8月15日。

　　美國法令如牛毛，明察牛毛，可以安穩騎牛，享受便利；不辨牛毛，一不小心，就被牛踩。這是美國生活獨特的一面。

在綠卡和稅的矛盾中省稅

　　綠卡和稅一直是矛盾的，「山姆叔叔」早說過，天下沒有白吃的午餐，住在美國國內是向美國政府買「服務」，所以要向美國政府繳稅；　住在海外的美國公民和居民是向美國政府買「保險」，所以也要向美國政府繳稅。

　　我在台灣聯合報的「移民注意」專欄中也一再強調，要省稅，最好不要申請綠卡。一旦有了綠卡，就要有繳稅買服務和保險的觀念，日子才會過得舒服。不過，只要在綠卡不被收回的情況下，能省稅還是要省。

如何在綠卡和稅的矛盾中省稅？

　　移民法規定，綠卡持有人每年必須在美國停留超過半年，否則綠卡可能會被沒收，但若有合理的理由半年內不能回美，則可以申請 回美證（白皮書），回美證有效期限是兩年，可以再延期。移民法同時規定，要申請公民，五年內必須在美國停留超過兩年半，而且除非收入不夠報稅標準，每年要誠實報稅。只要拿到公民權，就不必再受「每年在美國停留超過半年」的限制。

　　空中飛人的免稅額於2002年是8萬美元，但是稅法規定365

天內要在海外停留超過330天才能享有這項免稅額，也就是說每年在美國就只能停留到35天，這和移民法規定每年要在美國停留半年才能保住綠卡，這對「空中飛人」是矛盾的。

但此免稅辦法適用於公民和永久居民，且並未要求每一曆年內在海外停留超過330天，所以綠卡持有者配合白皮書（回美證）等，有了白皮書就可合法在海外停留一到兩年，不會被拿掉綠卡。好好規劃，還是有可能既合移民法的要求，又能拿到部份的免稅額。而且，不能免稅的收入，還有外國稅扣抵（foreign tax credit），也就是在外國每一塊錢繳稅，可以抵一塊錢美國的稅（詳見〈兩面不是人——雙重課稅的問題〉）。

規劃租稅要量身訂做

　　新移民對於逃稅(tax evasion)、避稅(tax avoidance)、和省稅(tax savings)往往混淆不清。這是新移民誤觸法網的主因之一。

　　在美國，避稅是合法的，即使不合道德，國稅局也沒辦法，最高法院判例中特別強調納稅人有權利依照自己的意願安排省稅的交易(transaction)。但是，逃稅是違法的，要受重罰；最糟糕的是自己以為可以省稅，結果付了高稅。

　　如何省稅？省稅交易的第一步往往是訂合約，一般人認為合約只是保護交易，其實合約也影響稅負，和稅務單位鬥法時，合約往往是主要的工具，絕對要小心簽訂。

　　我最近和律師合作，由我做稅務規劃，律師寫合約，把一家跨國公司行之有年的合約都重新改過，不只解決了這家公司的會計問題，也替這家公司省了一筆鉅額稅金。

　　這個例子是有關「銷售與使用稅」（sales and use tax)的稅務規劃。美國各州的銷售與使用稅法類似於台灣的營業稅(VAT)和大陸的增值稅(VAT)，不同的是VAT對每個生產和銷售環節課稅，銷售與使用稅只對最後使用者(end-user)課稅。課稅的項

目也不同，美國的銷售稅不對一般食品（餐館例外）、個人服務、和無形資產課稅。銷售與使用稅法一般規定，買賣產品時，如果買方不轉賣，那麼賣方要扣銷售稅。如果賣方在外州或從外國進口產品，不扣繳銷售稅，則買方要繳使用稅，例如，向外州或國外進口機器設備，要繳使用稅。

有個外國公司，賣錄音帶給它在美國設立的子公司。加州州稅局就把錄音帶的母帶當做一般有形資產，也就是（tangible property）來課稅。因為根據銷售稅法，進口產品若不轉賣，就要繳使用稅，但若買的是版權，是無形的資產（intangible property），則不須繳使用稅。以前州稅局非常堅持這母帶是一項有形的資產，而客戶找我幫他們規劃時，我發現這進口的應該是版權，是無形的。我的理由是一家公司不可能花這麼多錢買一個錄音帶來使用，他們也的確把母帶轉錄成錄音帶銷售。這家公司一年進口幾百萬美元的帶子，銷售稅課徵8.25％，一年要繳幾十萬美元的使用稅。後來在解釋上我向州稅局爭贏了，替客戶向州稅局要回了過去三年繳的稅。並且這家公司馬上重訂母子公司的合約，讓產品銷售的過程和手續定義清楚（說明是買賣版權，不是買賣產品），以後每年幾十萬美元的銷售稅就不必再繳了。

請律師和會計師合作寫合約看來花錢，但若能明白各種合約的稅負，預估省稅的金額，多數人都覺得划算。

租稅規劃非常細膩，就像做旗袍一樣，一定要量身定做。連在美國停留幾天都要算好。以買賣股票的資本利得（capital gain）為例，多在美國多停留一天，可能要多繳數十萬美元稅金。

因爲外國人買賣美國股票的資本利得免稅，但是如果在美國停留超過183天，在稅法上就被視爲美國人，買賣股票的資本利得就需要繳稅，短期資本利得視爲一般收入，最高稅率2001年達39.1％，2002年38.6％。

除了聯邦稅外，州稅也要考慮。如果你是加州居民，資本利得州稅最高是9.3％。如果你是隔壁的內華達州居民，資本利得免州稅。這是爲什麼在兩州邊境的名勝雷諾（Reno）賭場和太浩湖（Lake Taho）賭場附近內華達州境內，有不少台灣和大陸來的，身擁大量股票的有錢人居住。他們把省下來的稅金拿來享受山水和小賭的樂趣，總比交稅好。同樣的，如果有大筆退休金，搬到免稅的州去養老也可享受免稅的好處。加州政府曾堅持要課原在加州工作，後來搬到外國或外州的居民的退休金，結果被告到法院，大輸以後，只好修改法律，現在不再課稅。

這種「一日萬金」之差，影響最大的是的空中飛人。根據美國稅法，美國居民和公民需申報「世界收入」，也就是不管你在天涯海角賺的錢都須報稅。不過，爲了鼓勵美國人出國經商發展，聯邦稅法特別規定，美國居民和公民在一年內如果停留在海外超過330天，則一年有8萬美元的勞力所得（earned income）可以免稅。加州稅法更規定，如果合於空中飛人的免稅條件，即使家人和房產都在加州，也可視爲非加州居民，州外收入免稅。

另一個案例不只「一日萬金」，而是「一日百萬金」。美國高科技業最多的矽谷，年輕工程師常因公司給的認股權，公司股價漲而一夕之間成爲百萬富翁，2000年風水輪流轉，美國

科技股於年初漲到最高點，後來股票大跌，很多工程師在年初利用認股權買股，因為稅法規定要在年底前賣掉股票，否則要繳AMT稅。他們在股票下跌時又捨不得賣股，結果不只大賠錢，還要繳巨額AMT稅，很多工程師因此破產或需賣房子。當我親自看著客戶寫兩張加起來近100萬美元的支票繳AMT稅時，我非常的心疼。她告訴我，說她在2000年年底聽朋友談到我在「世界日報」登的一篇有關認股權（option）的文章，要大家看股票，如果exercise option後股價跌超過30%，那麼就應該要賣股票，否則要繳很多AMT稅。她一下子來不及找到我的文章，沒在年底賣股票，等她年初來找我時已來不及，只好繳近100萬美元的AMT稅。這故事說明年底節稅的重要性。

節稅規劃的原則很簡單，第一是減少收入、增加支出。最好是永遠免稅、其次才是暫時緩稅。

以下是幾個利用免稅的收入減稅的例子。有一個客戶在2000年把自住宅賣掉了，賺了七、八十萬美元，因為她早看過《綠卡與稅》的第一版，所以賣房子之前就先來和我討論，和買主講好在她自有自住滿兩年以後幾天才過戶，她也按照我的建議，把兩年來整修房子的單據都留下來，結果一毛錢稅都不必繳。80萬美元，若以30%計算，省下來的稅有24萬美元。

收入緩稅也是省稅的方法，以退休金來說，現在很多人對股市大失信心，不肯再存退休金，其實，退休金不只可以買股票，只要是以營利為目的的投資，多數都可以投資，如股票、債券、銀行定期存款等。

一日差萬金，要省稅，就要趁早稅務規劃，不論你想做個

空中飛人，或是年輕的工程師要用你的認股權，想要拿綠卡，或是要買賣房地產或投資設立公司，，要匯款進出美國前，最好找專業人員做規劃。和會計師坐下來，用軟體算一算，確定哪種方法最省稅，而且不只算一年，還要多算幾年，才能確定哪種策略最省稅。

商業簽證與稅

有一陣子，美國移民局針對違法的商務簽證持有人採取嚴厲的掃蕩行動，不少人被移民局監獄請去「招待」，使利用商業簽證來轉換綠卡的人，不管是已拿到綠卡，或正在等待的人都人心惶惶。

根據一位曾經被移民局監獄「招待」一週的有錢華人表示，移民監獄滿滿的，裏面關的，竟都是來自世界各地想拿綠卡的有錢人們。從興沖沖地作美國移民夢，花費數十萬美元以後，最後竟落入移民監獄，更需面對冗長的移民官司和未定的前途，綠卡的代價為何如此高？

據了解，美國移民局的掃蕩行動源於太多的「假生意」「真移民」，也就是投資只是幌子，拿到綠卡才是真目的。但是，也有真心投資的人，做了長期投資，卻因為商業移民和非移民簽證的期限太短（第一次多半只有一、兩年），又要求看到績效，他們初到美國，一下子要適應生活的變化、語文的溝通，創業本身的困難那就更不用說了，所以無法在一、兩年裡面拿出業績，而拿不到簽證延期或綠卡，那時要不要離開美國，就兩面為難。離開，一生積蓄十幾二十萬美元的投資泡湯；不離開，移民監獄等著

你。這種困境，很多是對商業簽證的要求和特性不了解而起，所以本篇特別對幾種商業簽證及其對稅法的影響做簡單的介紹，初版移民資料由舊金山的呂翔律師協助校正，再版移民法規則由金杜律師事務所校正。由有關移民法的介紹，只是為方便稅法的討論，不可做為移民的參考，讀者有移民問題，應請教移民律師。

美國移民法和稅法都鼓勵納稅人用血汗去創業和經營事業，所以都對創業和經理人提供比較優厚的法條。以移民法來說，移民法中有幾種商業簽證是專門給到美國投資和經營事業的人。以稅法而言，美國稅法規定，在美國經營事業（trade or business），只要是一般和必要（ordinary & necessary）的支出都可扣除（deduct）收入，不管你是外國人或美國人。這和股票等非事業性的投資等，支出一般不能扣除收入是不同的。

移民法中的商業簽證和稅是有很大的關係的，我一般做稅務諮詢或報稅時，第一件事就是問客戶的移民身分，才來決定要如何規劃。移民簽證和稅關係非常複雜，本文只簡單的介紹幾項，給讀者做為投資移民的參考。

商業簽證有以下幾種：

1. B-1 短期商務簽證（Visitors for Business）
2. L-1 跨國公司調派管理及行政人員簽證（Intracompany Transferee）
3. E-1 條約貿易商簽證（Treaty Trader）
4. E-2 條約投資者簽證（Treaty Investor）
5. EB5 投資移民簽證（百萬美元綠卡）

從所得稅法來看，B-1、L-1和E簽證都是非移民簽證，持有者不會自動變成稅法上的「美國人」，必須靠數日子來決定自己是否爲「美國人」（見〈數饅頭的日子〉一文）。如果數的結果是美國人，那麼在世界各地的收入都要向美國政府報稅和繳稅。百萬美元綠卡是移民簽證，拿到臨時綠卡就算美國人，世界收入都要向美國政府報稅和繳稅

以遺產、贈與和隔代遺贈稅法來說，拿綠卡不一定，但99％會被當做是美國人。因爲申請綠卡就是向美國政府（移民局）表示有永久居留的意願。除了非常少數的人外，拿綠卡多數被認爲是美國人，如此世界財產都可能是美國遺產和贈與稅的課稅範圍。持有B-1、L-1和E-1簽證的人若只有一、兩年在美國停留超過183天，不會被認定是「有意」在美永久居留。但若常常居留過久，加上把家人安排在美國，則可能被認定「有意」在美永久居留，而被當做美國人課遺產和贈與稅。

以下是幾個決定永久居留意願的指標：（1）停留在美國及外國的時間，（2）遺贈者的住宅大小，價格和特性，是自有或是承租的，（3）房子區位：住宅區或渡假區，（4）值錢或有紀念價值的個人物品所在，（5）家人和親朋好友之所在，（6）教會和社團所在，（7）商業利益所在，（8）簽證申請書、遺產、贈與、信託、其他書信或口頭聲明，（9）動機：健康、休閒、逃難、或政治庇護等。

爲了省稅，拿B、E、L簽證的所有人都要小心「數饅頭」過日子。

B-1簽證與稅

　　比起其他商業簽證，B-1簽證一般較容易申請。只要能說服領事館的面談人員就可拿到，不必經過冗長複雜的申請手續。但因為一般停留期限都只給一到二個月，延期再半年，最高只可停留一年。而且B-1簽證持有人不能在美國有任何薪資等收入，所以對準備在美創業的人，這類簽證不見得適合。不過，很多人先用B-1簽證到到美國，登記營利事業如公司、合夥後再轉換成L或E簽證留下來。

　　從租稅的觀點來看，持B-1簽證就不能領薪水，且只能短期停留（一般不會超過六個月），因此「持有人」一般不會變成稅法上的「美國人」。股票、利息等收入也都由付款人扣繳給國稅局，所以一般不必報稅。但若停留超過半年，就有可能因為數日子而變成美國人，必須把世界收入拿到美國報稅。所以用B-1簽證來美，一年之內，不要停留超過半年。

L-1簽證與稅

　　L-1簽證是各種商業簽證中最複雜，影響會計與租稅最深遠的。

　　L-1簽證的目的是給跨國公司調派有經驗的管理和技術人員到美國來協助美國公司發展事業，所以規定調派人員過去三年內必須在海外的母公司、分公司、子公司、姐妹公司擔任一年以上管理工作，而且兩邊的公司都必須維持正常營運。

　　L-1簽證規定只有跨國企業可替管理人員和專業技術的員工申請，而跨國企業涉及不同國家的商業法、稅法、會計準則等，非常複雜，所以律師和會計師的選擇就非常重要，尤其想申請L-1延期及轉換綠卡的人，在會計和稅的處理上更要小心。

　　L-1持有人申請延期時，移民局要看母公司和美國子公司帳冊，以確定兩家公司都正常營運。移民局要求的文件包括所得稅表、財務報表、州和聯邦的工資稅報表、合同、銀行對帳單等等。據有經驗的律師表示，如果子公司的營業額太低或子公司沒有僱用其他員工(至少三至五人)，則簽證延期申請可能被拒絕。雖然對移民局拒絕簽證延期申請的決定可以上訴，但上訴過程長，且結果未知。如果已做長期投資，卻被拒絕，無論公司本身或是個

人，都會處在一個困難的境地。

　　L-1簽證可以轉換綠卡，申請綠卡最重要的是向移民局證明國外母公司和美國分公司都維持正常營運。美國公司必須證明具有在美國長期經營的財務能力。有兩種方式可以證明：第一是美國分公司的營業狀況，包括營業額、利潤、納稅、員工人數等。第二是國外母公司經營狀況，加上美國公司對母公司的貢獻上證明。

　　有關跨國公司的會計和租稅問題，參考〈跨國公司的國際稅務規劃〉。

　　從省稅的角度來看，我並不鼓勵用L-1簽證轉換綠卡的方式。跨國公司，尤其是台灣的公司到美國設立分公司或子公司，對稅負是非常不利的，因為台灣只對個人課徵台灣和中國大陸來源的收入，而對營利事業課徵世界來源的收入。如此美國公司分配的紅利要併入台灣公司計稅一次，台灣公司分紅時股東再併入個人所得課稅一次，雖然台灣實施兩稅合一，股東的稅負明顯減輕，但比起用個人名義投資美國，只要在美國課稅就可，跨國公司的稅負明顯地增加。

E簽證與稅

　　對準備到美國長期做生意和投資的人而言，E-1和E-2是優點僅次於綠卡的簽證。從租稅的立場而言，E-1和E-2可能比百萬美元綠卡和跨國公司簽證更省稅。

　　兩岸三地(大陸、香港、和台灣)中，只有台灣和美國簽有貿易條約。這個條約是在1949年由中國大陸帶到台灣，而維持至今。香港和中華人民共和國的投資者不能用這個簽證，因為E簽證規定申請的個人必須是條約國的國民，或替員工申請的外國公司，必須有50%以上的股份是條約國國民所持有的。

　　除了國籍限制外，E-1簽證還有兩項限制：

1. 外國申請者和美國公司必須有足量(substantial)的貿易，也就是外國公司的貿易50%以上必須從條約國(美國)進出。貿易包括貨物、服務、或科技的買賣和交換。
2. 個人必須是主要的貿易商，或是貿易商的主管，經理，以及具有決定公司成敗的專業人員。而且進入美國的目的是要從事實質的貿易。

E-2除了國籍限制外，另外三個限制是：

1. 申請的個人或公司必須已經或正進行足量的投資（Substantial investment），一般要有十萬美元以上的投資在美國。
2. 個人必須是主要投資者，到美國來主控（direct）和發展（develop）這個企業。或者是投資人的主管，經理，或具有對公司重要的技能的員工。
3. 這個投資不是投資者主要的收入來源。

E-1、E-2的好處是：

1. 兩年來回簽證，如果公司繼續營運，則可繼續延期。
2. 配偶和未婚的成年子女都可拿E簽證，可以在同一家公司工作。
3. 不必在美國國境外保留住所。

從租稅上來看，E-1和E-2是屬於非移民簽證，所以持有人會不會自動變成稅法上的「美國人」，要數每年在美國停留的日子，如果合於「美國人」的條件，全世界的收入就要向美國政府報稅。如果不是美國人，只要把在美國的投資或貿易的收入向美國政府報稅即可。如果和美國的關係太近，變成遺贈稅法上的美國人，那麼世界財產的遺贈都要向美國報稅。

再以台灣的稅法來看，因E簽證可以用個人，也可以用營利

事業的身分來申請，不必像L-1簽證，一定要跨國關係企業的身分來申請。以台灣對個人只課台灣和大陸來源收入，個人若用E身分在美做的投資，利潤和所得不必向台灣政府報稅，不只省稅，也減少跨國母子公司複雜的會計等費用。

從以上分析可知，對想有狡兔三窟的人而言，E-1簽證是非常好的，既可達到把子女送到美國受教育的目的，又可雙頭做生意，不會受到雙重課稅之苦。

不過，對在台灣有雄厚資產和收入的人而言，應該注意停留美國的日子，**不要讓自己變成「美國人」**。

百萬美元綠卡的代價

　　百萬美元綠卡（EB5投資移民簽證）的立法，原是想吸引香港「1997大限」前後香港的資金。1980年代，英國和中國決定香港將於1997年歸還中國，香港的資金大量外流，加拿大很快立法，投資移民方案吸引了很多香港資金。美國國會經過多年辯論，才在1991年通過「百萬美元綠卡」法案。美國政府一年提供一萬張綠卡給投資美國商業100萬美元以上的人（其中3000張給低就業地區，50萬美元投資額即可）。剛開始不受歡迎，但後來經過移民公司等的「變通」手法之後，竟成為不少人用來「買綠卡」的新招。

　　1998年年中，移民局暫停百萬美元綠卡的收件，並對現有的案子重新審查。其後對這個法案的立法目的有非常明確的解釋，堵住了很多假投資買綠卡的途徑後，又開放收件。

百萬美元綠卡的條件

　　百萬美元綠卡並不是那麼容易拿，其條件之苛刻是少見的，列舉出來共有九項之多。

一、資本(Capital)：資本指的是現金、存貨、有形財產、股票、銀行定存、公債等等。自有資本和借貸都可，但必須是由投資人的私人資產來擔保。這個條件是為了確定申請人已投入一定量的資金在其中。但如果資金取得手段不合法，綠卡申請就因此取消。

二、營利事業(Commercial Enterprise)：投資種類只限於營利事業，事業必須是要能維持正常合法的運作。在企業型態選擇上沒有限制，所以獨資、合夥等型態都可。但房屋的擁有和出租並不列入其中。

三、投入管理(Active Participation in Management)：這項規定是要求投資人必須投入企業管理工作。投入的方式有兩種：日常業務管理，或是政策形成的決策者。只投資是不夠的。申請的時候必須註明自己的職權及工作說明，例如擔任總裁、董事會成員、或投資合夥人等等。

四、創造10個就業機會(Create Ten Jobs)：申請人必須證明投資企業對美國經濟有利，並且要聘用10人以上合法工作者。但申請人的家人，和半工者，以及獨立承包人(independent contractor)不能算是員工當中。不過，可以用兩個半工抵一個全工。

五、臨時綠卡(Conditional Permenant Visa)：為了避免造假，申請人只能拿為期兩年的臨時綠卡。之後申請人必須證明一切照章合法投資經營。並且必須提出轉為正式綠卡的申請，如果臨時綠卡到期前三個月內沒有提出正式綠卡的申請，或申請後不通過，則臨時綠卡身分就會被取

消。

六、低就業地區(Targeted Employment Area):如果選擇到低
就業地區投資,以助經濟發展,投資額可降至50萬美
元。目前一年有最少3000張綠卡名額保留給這項投資。
所謂低就業地區指失業率是全國平均的150%以上的地
區。

七、同一公司替多個投資人申請(Multiple Investors):要件
是每一個投資人的投資的數目符合要求,並且每個申請
人必須要增加10個工作機會。一家公司若有一人以上的
擁有者申請,只要過程合法,亦符合條件。

八、成立新公司或擴張舊公司:法案中允許三種設立公司的
方法:成立新公司,購買及重組舊公司,或擴張舊公司。
在擴張舊公司的部分,又規定要擴張40%的企業淨值或
員工額。

九、其他證明要件:法律文件(營利事業登記證等),資金動
向(銀行證明,買賣證明等),正當的財務投資(國外企
業文件,過去五年的稅表等),並且在申請永久綠卡時,
證明聘用至10位美國員工。

百萬美元綠卡的代價

以上各種申請條件,對申請人的權益及企業經營方式,會造
成不同程度的衝擊。首先,為了防範洗錢等非法行為,規定申請
人要交出過去五年的稅表。這樣等於是讓申請人的外國企業和資
產,在美國政府面前曝光,很多人並不願如此做。另外,要求投

資人必須投入管理營運，也會因為過失或疏忽，導致投資人負連帶責任的問題。

其他的申請條件，也各帶來優缺點。例如，這麼多的文件要求，會花大筆錢在專業會計師及律師的費用上。但另一方面的優點是，這些要求其實是在強迫外國投資者學會如何遵守美國的法律及程序來做生意。做為一種訓練教育，有其正面的意義。繁複的程序也會嚇退不少申請人。

比起其他商務簽證，百萬美元綠卡的租稅代價最高。兩岸三地有錢花百萬美元買綠卡的人，資產都不少，一拿到綠卡，不只世界收入要報稅，世界財產都可能被課遺產和贈與稅，稅負相當可觀。

百萬美元綠卡的規定如此嚴苛，持臨時綠卡兩年，若已做了長期投資，但在頭兩年內看不出業績，或因不懂美國法律而不合要求，因此而拿不到終身綠卡，則要不要回頭？就變成一個大問題。如果再申請時聽信一些不實的資訊，在申請單上「做」了一些手腳，則要到移民監獄去吃公家飯了。因此要不要申請百萬美元綠卡，是一個值得深思，也必須先做移民諮詢和稅務規劃才能做的決定。

留學生與稅

　　三藏去印度，為的是取經學佛；留學生到美國，為的是取經求學位。三藏拜佛，留學生則要受另一種「佛法」的控制：美國稅法。

　　留學生到美國，迎接自己的，除了是自己夢寐以求的學校外，還有一雙無形的手，那就是如來佛的手掌──美國稅法。

　　留學生因為身分特殊，美國稅法上有很多特別的規定是針對留學生的。這些規定，和給一美國居民是不同的，好好規劃，可以省很多稅。

　　一般而言，以學習研究為目的的簽證有三種：F-1（外籍學生簽證），J-1（交換學者簽證），以及M-1（職業學校學生簽證）。有這三種身分的人是屬於美國稅法上的特免人員（exempt persons），只要保持身分，他們在美國停留的前五年內都算「外國人」。不必像一般外國人一般要數日子，以確定自己是否是稅法上的「居民」或「非居民」。五年後就要數日子（見數饅頭的日子），但也可已向國稅局申請延長，保持外國人的身分。Practical Training 期間使用的是F-1簽證，比照外國學生身分處理。H-1簽證不是學生身分，算不算美國人，要看拿到H-1簽證有多久，要

數日子來決定是不是美國人。

至於留學生要不要繳稅，這要看收入來源，及留美期間的長短。

做為外國人有什麼好處呢？第一個是銀行存款、保險、和Polifolio利息免稅，但要達到存款利息免稅的目的，必須用護照到銀行開戶，而不要用社會安全號碼，而且要填寫W-8表給銀行，有關存款免稅的手續，詳見本書〈藏錢省稅的護身符──外籍證明書〉一文。

留學生面臨的稅有幾種：聯邦和州的所得稅、社會安全稅以及州和地方的銷售稅。州和地方的銷售稅，一般由生意人去扣繳，所以留學生不必操心。比較須要知道的是聯邦的所得稅和社會安全稅，以及州的所得稅。

以聯邦所得稅而言，不論你在美國是否有收入，每年都要向國稅局申報，國稅局不會來通知你報稅，因為在美國的稅法是自行計稅（self-assessment）的系統，報稅內容的正確和準時，由個人負責。

要如何報稅？以什麼身分報稅？

對留學生而言，計算的方式其實蠻容易的。如果在美國期間已超過五年，報稅的當年在美國已居住超過31天，那麼就要照加權的方程式（本年停留日×1＋前一年停留日×1/3＋前二年停留日×1/6）去數日子，總數如果超過183天，就要以「居民」（resident alien）身分報稅。否則的話就是以「外國人」（nonresident alien）身分報稅。要注意的是，這種分法只是為了報稅時計算用的，和移民局的身分分類方式基本上是無關的。如果你還是願意保持外

國人的報稅身分，那麼要向國稅局申請延長外國人身分。

如果是居民的報稅身分，就和一般美國居民的義務等同，你在全世界各地的收入，都要向山姆叔叔交代清楚。而且，你的勞力所得（earned income）要繳社會安全稅（social security tax）。如果是以外國人的身分，只要是美國來源的收入，如紅利收入等，在學校的助教薪資，在美出租房子的房租收入、版稅、和權利金，以及在美期間的財產買賣（股票例外）收益等，都是申報的範圍。

但如果你從美國以外的國家接受獎助金，或你的本國雇主給你的資助，或是銀行的存款利息（不論美國或外國銀行），股票（不論美國或外國公司）買賣的資本利得（capital gain），這些則是免稅的。

到底用居民還是非居民的身分報稅比較有利？原則上，如果你是台灣的王永慶或香港的李嘉誠的子女，有很多家族財產和收入在你名下，你最好用非居民身分報稅。如果你在海外沒收入，甚至又帶著一家多口，靠的是美國獎學金過日子，那麼用居民身分報稅比較有利。因為，你可能不只不繳稅，還有低收入補助款（earned income credit）可以領。如果你想早上炒股票，下午和晚上上課，那麼用外國人身分，因為外國人買賣股票的資本利得是免稅的。不過，股票虧損也不能抵稅。

對許多留學生而言，主要合法的工作及收入來源是擔任助教。助教又分研究助教（RA）和教學助教（TA）兩種。一旦開始在學校工作，校方就會請你填一張W-4表，以註明你的身分（居民或外國人）。校方並會在你的薪資表上為你扣繳部分的稅，並在年底給你扣繳憑單（W-2），讓你在報稅季節就要申報你的收入。

如果你的雇主沒有為你扣繳任何稅金的話，你要以Form 1040-ES（NR）來預繳稅款，並且要定期繳你的預估稅（estimated tax）。

如果你是以外國人身分在學校當助教，並且你本國和美國政府訂有所得稅條約時，你就必須要以Form 8233來申報，如果你並未打工，則以Form 1001來申報。

填報稅表時，居民的抵稅項目和一般美國人相同。至於以外國人身分報稅時，可抵稅的項目則有以下幾種：慈善捐款，財產損失，或參加專業學術會議的旅行花費。

至於獎學金，如果你的獎學金是以攻讀學位為目標，那麼你可以在扣除學費，註冊費，書籍費之後，其餘的才是計算扣繳的金額。如果你的獎學金來源是宗教、政府、或國際組織，並且不是為攻讀學位為目標時，那麼要扣繳14%的所得稅。如果來源是其他組織，則扣繳30%。

另外，由於中華人民共和國與美國訂有所得稅條約，所以中國大陸來的學生的獎助學金等，以外國人身分申報時，部分可以享受免稅優惠。優惠的內容請見〈兩面不是人──雙重課稅的問題〉。台灣來的留學生，原則上照一般外國人身分處理，如果還有特殊情況者，則參考美國的「台灣關係法」。

以下是一些對留學生有用的資訊，都可在國稅局網頁上下載。

1. IRS web site：www.irs.gov
2. Forms：1040, 1040A, 1040EZ, 1040NR, 1040NR-EZ
3. W-8：Certificate of Foreign Status

4. W-4：Employee's Withholding Allowance Certificate
5. 8843：Statement for Exempt Individuals and Individual with Medical Conditions
6. Publication 519：U.S. Tax Guide for Aliens
7. Publication 520：Scholarship & Fellowship
8. 1042S

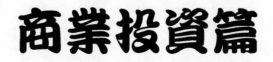

商業投資篇

存款美國銀行省稅及避免風險要訣

　　「台灣錢，淹腳目（踝）」是句台灣諺語，意思是台灣很富足，錢多到淹腳目（踝）。1990年代末期，亞洲，尤其大陸經濟急速發展，亞洲錢不只淹腳目，還淹到世界各地，也不少淹到美國。

　　亞洲資金從兩岸三地外流的原因有政治的，如政治不穩定時，資金外流以尋求穩定的政治保護；有經濟的，如亞洲金融風暴時，亞洲很多資金流向美國避險。當時美國幾個華人聚集的城市的銀行，外資充斥，尤其華資銀行的存款多到不知該如何處理。

　　除了短期的「資金逃難」外，就長期而言，國際移民與國際投資也造成國際資金流動。目前兩岸三地都逐步走向國際化與自由化，大陸和台灣於2002年1月雙雙加入世界貿易組織（World Trade Organzation, WTO），國際貿易、移民與投資將日多，國際資金流動將是越來越頻繁。尤其移民投資美國的人相當多，新移民和外國投資者因不瞭解美國法令，在移民投資美

國前未預先做好稅務規劃，因而吃虧的人相當多，不少人是因
銀行存款和資金流向被美國國稅局盤查，也有不少人因不熟悉
美國法令而吃官司。

存款美國銀行有那些該注意的地方呢？如何預做稅務規劃
以避免被課高稅呢？本章將分三篇，分別從風險分析，以及比
較美國和兩岸三地的所得稅、遺產和贈與稅法幾個角度提供一
些基本原則，但因美國稅法繁複多變，適用情況也因人、因時、
因地而異，最好能請教熟悉國際稅法的會計師，依個人或公司
的情況來做稅務規劃。

如何避免風險？

銀行存款第一個考慮的當然是利息。為刺激經濟，美國聯
邦儲備銀行（Federal Reserve Bank）在2001年十度降息，使短期利
率降至2%以下，若考慮物價指數，存款在美國銀行根本不賺
錢，只是做為保本和避風險的工具。

一般而言，小銀行為了吸引客戶，利息較高，而且也比較
能做個人服務。但是，但小銀行限於資源，服務項目可能不如
幾家跨國性大銀行多。

其次要考慮的是風險。美國銀行存款是所有投資裡風險最
少的，大銀行一般的管理比較上軌道，但前幾年美國儲貸會弊
案，和最近英國霸陵銀行關門，以及怡和銀行美國分行被美國
政府強迫關門，從這些例子看來，銀行兼業做投資（如股票、債
券、和期貨等）的結果，錢不論存大小銀行，風險都在。

存錢在美國銀行要避免風險，第一，要存在已參加「聯邦

存款保險」（Federal Deposit Insurance Corporation, FDIC）的銀行。第二，要分散儲存在不同銀行，不要把蛋都放在同一個籃子裏。因爲FDIC的存款保險，最高保險額每人（每戶）在每家銀行是10萬美元。但某些帳戶如死亡給付、不可撤銷信託、遺產以及退休金帳戶等算不同人，可分別受到10萬美元保保險。第三，要注意並不是所有投保FDIC的銀行的所有帳戶都受到保障，證券戶頭如共同基金（mutual fund）、股票和債券等投資帳戶都沒有聯邦保險。

前面所提的FDIC，是美國政府在1933年成立的聯邦儲蓄保險公司，目的是爲了預防銀行意外倒閉，而使存款人權益連帶受損，同時也爲了銀行業的健全發展。在這個計畫當中，存款人不須要繳納額外費用，就可以受到保障。FDIC的金融機構都會定期受到聯邦及州政府的稽查，用以確立營運制度的健全。

FDIC這樣預防，如果銀行還會倒閉，FDIC會立刻動用資金來保障存戶的利益。通常在銀行關閉後的幾天內，FDIC 將准許存款人提款。

另外，存款到FDIC的銀行，可以利用不同的組合，開設多個存款戶頭，而達到多於10萬美元的存款保險額。例如，張先生全家人在台灣。他希望可以用無風險的方式，爲家人留資金在美國。因任何其他投資都帶有風險，他決定將錢放在銀行，而且每個戶頭都可受到FDIC保險。我替他找銀行，但幾百萬美元，每家銀行10萬美元，要跑遍舊金山灣區的所有銀行了，而且，他人不在美國，管理非常不易。於是，我建議他用不同性質組合的帳戶去存款，如此一家銀行可以存超過10萬美元，比

較容易管理。當我接洽銀行時，把客戶的情況告訴銀行經理，問他們張先生可以最高拿到多少保額。讓我意外的是，沒有一家銀行的經理給我相同的答案，我只好自己找FDIC的手冊來研究。

有些銀行聲稱可開許多戶頭，因此讓保險額提高。但不能不注意一些問題。例如：未成年子女不能成為信託管理人，每種戶頭有不同的保險額，設定戶頭時有各種不同的限制，加上銀行管理階層的人，有時在對戶頭保險的解釋說法上互不一致等等。可見把錢存在銀行，仍然要依個人情況來安排，讀者可以向銀行要，或者請會計師代為索取FDIC的說明手冊，詳細閱讀以做投資的參考。

如何避免所得稅？

存款在美國銀行的另一個考慮是所得稅法。美國國稅局規定，一次現金交易或存款超過一萬元以上就要申報。台灣人動輒丟進美國銀行十萬、百萬美元，很容易引起注意。如果提不出金錢來源的證據，那可能被當做所得（收入）而重課以所得稅，還要因逃稅而受重罰。

2001年9月11日，美國發生阿拉伯恐怖組織挾持飛機當飛彈，炸燬世貿大樓和國防部，造成三千多人死亡的慘劇以後，美國綿密追查恐怖組織的金錢來源，也追查國際洗錢，國會也開始追究國稅局過去對現金交易或存款超過一萬元以上申報的檢查執行情形，發現做得並不夠嚴格。我們可以預見現在開始，檢查會更嚴格，讀者有國際資金移轉時應該更加小心，不要沒

掃到恐怖組織，卻掃到你漏稅了。美國是國際洗錢防治組織艾格蒙聯盟（Eggmond Group）的成員，台灣也是其中之一，大陸目前還不是，但美國正說服大陸加入。該聯盟的成員國可以要求其他成員國提供銀行來往資料，以利犯罪調查。

很多人怕在台灣或美國海關報稅，往往現金帶到美國來而不報關，被海關或國稅局查到時拿不出現金來源證明，被沒收，課以高稅或罰款，更有一台灣來的旅客帶50萬美元空白旅行支票闖關，結果被海關送進看守所，這些都是得不償失的。所以應該保存資金來源的證明，例如電匯和報關證明等。

用誰的名義存款也會影響所得稅。美國稅法規定，外國人的美國銀行帳戶存款利息免稅，但美國人的銀行存款利息則併入其它所得報稅，最高稅率2001年達39.1％，2002-2003年降為38.6％。因此，用外國人的身分存款比較有利。

到底你是外國人還是美國人呢？美國稅法上的「外國人」和移民法上的「外國人」定義並不同，本書「當美國人代價不小」一章中有詳述。基本上，用外國人名義存款可以省所得稅和遺產、贈與、及隔代移轉稅，但必須向銀行提出護照開戶，並填寫外籍證明書（見本書〈藏錢省稅的護身符——外籍證明書〉一文）。如此，銀行不會把你的收入報給國稅局，你也不必報稅。未填外籍證明書或證明書過期，銀行會扣繳30％的聯邦稅，並給你一張SS-4表，你必須報稅才能把扣繳的稅要回來。還有，一般銀行的電腦，如果你不使用護照號碼，而是填寫美國稅號進去，電腦就認定你是美國人，把你的利息收入報給國稅局，並給你一張1099-INT表。如果你收到1099-INT表，而收入

超過$7,000，你最好報稅，告訴國稅局或州稅局你是外國人，銀行利息免稅，否則稅局會要你去報稅。若你不理他們，他們可以自己替你算稅，從你的銀行拿錢。外國人的1040NR稅表一般比美國人的1040稅表還難填，請會計師報稅費用也高些，所以在年底前要和你的銀行聯絡，確定他們不會把你的收入扣稅或報給國稅局，才能避免報稅的麻煩。

雖然用外國人名義在美國銀行存款可以免稅，但要小心，千萬不要拿人頭來存款，因為，第一，萬一人頭賴帳或人頭過世後子女堅持繼承這筆財產，則不是要丟掉財產就是要因惡意漏稅而遭罰款或坐牢。第二，美國國稅局常用所謂的生活水準（living standard）來查稅，如果你既無現金又無收入，卻入則住百萬華宅，出有勞斯萊斯，國稅局準會查你的金錢來源。

如何避免遺產和贈與稅？

美國和台灣，香港一樣，留遺產給人的必須繳遺產稅，送禮給人的人要繳贈與稅，收到好處的人反而不必繳稅。當然，如果送禮者和遺產管理人不繳稅，國稅局也不會放過收禮者。大陸的遺產稅法正在醞釀中。

美國遺產和贈與稅法規定，美國人一生中有67萬5000美元（2001年，2002年以後為100萬美元）財產送人免稅，不論是生前送還是死後送都一樣。但是，一年贈與他人不超過一萬美元的部分不計入這67萬5000美元，也不必申報贈與稅表。超過一萬美元的部分要申報，也年年累積，併入遺產稅計算，如果累積超過67萬5000美元，超過部分要按照遺產稅率累進課稅（2003年

以後免稅額改變，請參考附錄〈2001年新稅法解析〉）。

美國遺產和贈與稅使用的是統一扣抵額（unified tax credit）制，也就是生前每年把贈與全額計稅，計算出來後，再給扣抵額，如果不超過扣抵額的部分，免繳稅，超過扣抵額部分，則繳超過部分。等到下一年度再給贈與時，再把以前的贈與加上去，一起計算稅額，扣掉扣抵額和已繳的贈與稅額，就是應繳的稅額。如此每年贈與時都重複計算一次，最後再把一生的贈與和遺產相加，計算遺產稅額，扣掉一生的贈與稅額和統一扣抵額。2001年的統一扣抵額相當於67.5萬美元的遺產（全世界，不論天涯海角的遺產），2002年贈與免稅額增至100萬美元，以後不再增加，但遺產免稅額年年提高，至2009年增至300萬美元，2010年廢除遺產稅，2002年以後又回到原稅法。

外國人的贈與沒有免稅額，這次布希總統的減稅法案，並沒有減少外國人的美國遺產的扣除額，還是保持只有6萬美元。不過，外國人在外國的贈與和遺產則不計。從以上分析可看出，對外國人而言，財產的所在地的認定非常重要，如果財產被認為是美國遺產，那麼超過6萬美元以上就要課遺產稅。因此，存款美國時，不可不謹慎。再說明如下：

美國所得稅法和遺產及贈與稅法規定，外國人在美國的銀行存款算是外國財產，外國人贈送（或被繼承）的外國財產不應被課稅。如果以外籍父母贈與給美國子女為例，在海外辦好贈與，或把錢電匯到兒子的帳戶，美國政府基本上課不到稅。但若父親在海外把錢匯到自己在美國的帳戶，再轉入兒子的帳戶，贈品（錢）很容易因手續問題而被認定是美國財產（美國存

款），則國稅局有權課稅。外國贈與人從美國銀行戶頭把錢轉帳到美國受贈人的帳戶，算不算美國贈與，這是一個非常灰色的地帶，牽涉到轉帳或電匯是贈與有形還是無形資產，是美國還是外國財產等，目前還沒有一個定論，我一般都建議客戶保守一點，盡量讓贈與在海外完成。

比較起來，台灣的贈與稅法不同。台灣的遺產和贈與稅也課世界財產，但從1995年開始，每個「贈與人」的贈與稅的免稅額是100萬台幣（約3萬美元），這和美國以每個「受贈人」一萬美元的免稅額不同。台灣的贈與稅和遺產稅的最高稅率和美國差不多。但除非在死亡前兩年內轉讓，否則台灣的贈與稅不和遺產稅合併，只要運用兩地稅法的不同來做規劃。就可以合法地把財產年年轉給子女而不繳稅。

再以香港來說，香港的遺產稅率遠低於美國（最高18％），而且，香港只課在香港的財產和香港的收入，如果香港人把錢存在美國銀行，不只免繳美國和香港的所得稅，連香港的遺產和贈與稅全也免了。如此，美國和香港的稅都全免了。

大陸的遺產和贈與稅法政討論中，但還未完全立法。

從以上台灣，香港和美國的遺產及贈與稅法比較可看出，台灣或香港的父母，如果你的財產超過免稅範圍，而你想把財產給美國子女，最好在自己辦移民以前給，否則一旦拿到綠卡，則做父母的在全世界的財產都要算作美國財產，可能被美國政府課以高贈與稅。當然，如果你的財產是在免稅範圍之內，或怕子女不孝不養老，或是不願子女依賴父母財產而不長進，那又另當別論了。

和山姆叔叔共產？

亞洲錢，可以淹美國，但不要淹進了美國國稅局。只要事前細心的規劃，把錢存在美國銀行既可保風險，也可免所得稅、遺產、和贈與稅。但若不小心，或者手續不全，則可能被課以高所得稅，到美國來和「山姆叔叔」共產。

證券投資如何省稅

　　1998年開始，美國的證券市場開始驚濤駭浪，股票、債券、貨幣投資的走勢風險，美國的股價指數，天天如坐雲霄飛車，如道瓊指數，可以一天大跌兩百多點和大漲三百多點，最後因網路（達康 .COM）和光纖公司炒熱股市，所以1999年股價飛飆，到2000年年初，股票達到最高點，但不久就見泡沫化，終於一洩千里，2000年底股市已很慘，科技股慘跌80％，2001年年中科技股的投資者很多剩下的股值不到10％，9月11日的回教恐怖組織挾持飛機當飛彈，炸燬世貿大樓和國防部，造成三千多人死亡的慘劇，股市休市四天，復市後一週內，美國股市的股值降了1.37兆（trillion）美元，以2.8億人口計算，平均每人損失將近5000美元。因為科技股在911事件前已跌到底，911事件跌的最多的是道瓊等大股指數，可以說，整個美國股市哀鴻遍野。不久，美國人投資人習於以後的恐怖攻擊的恐懼，股市平穩了一段時間，到11月中，道瓊又升到911以前的標準。

　　2000年和2001年股市，賺的人少，但大輸的人多，不論輸贏，到年底都是面對國稅局，須要算帳報稅的時候了，投資美國股票如何課稅？美國人和非美國人有何不同的課稅方法？本

文只討論一般投資人的證券投資的課稅，證券商的課稅方法不同，不在此討論。

外國人債券利息免稅

投資債券主要收入是利息。債券利息和銀行利息課稅方法一樣，美國人當一般收入，外國人免稅。對美國人而言，要省利息收入則要買國庫券（節省地方稅）、地方債券（municipal bond, 免聯邦稅）等。因為一般認為國庫券的風險小，以往，美國國庫券（treasury bond）是避免風險的工具，很多股票經紀商買美國國庫券來平衡股票的風險，2000-2001年這個局面已被打破，連美國國庫券都跟著股市發燒。

投資股票有兩種收入，一是紅利（dividend），一是資本利得（capital gain）。美國政府對美國人和外國人的紅利和資本利得的課稅方法不同。

紅利的課稅

如果你的課稅身分是「美國人」（課稅身分和移民身分不同，見本書〈當「美國人」代價不小〉文），你收到的公司分配的紅利當做一般收入，併入其他收入課稅。如果課稅身分是「非美國人」，領紅利前，分配盈餘的公司應該會扣繳30％的聯邦稅，加上州稅（各州不同，加州7％，有些州免稅）。例如，你如果從加州公司領$100紅利，你拿到的只有$63，$37在你看到以前已繳給美國政府了。如果非美國人的本國和美國簽有所得稅條約，則聯邦的扣繳稅率降低，以兩岸三地來說，台灣和香港

與美國沒有所得稅條約，台灣和香港投資美國股票，照30％扣
繳，但大陸和美國有所得稅條約，大陸人投資美國股票，紅利
只要扣繳10％的聯邦稅。

外國人「資本利得」免稅

「資本利得」（capital gains）的課稅比較複雜，資本利得就
是賣掉投資資產，如股票和房地產的增值，投資長於一年算長
期，短於一年算短期。

證券──外國人的免稅天堂

投資美國股票，資本利得如何課稅，也要看投資人的課稅
身分。如果你的課稅身分是非美國人，那麼資本利得是免稅的，
你買賣股票賺的錢不必課稅，當然，賠錢也不能抵稅。

從省稅的觀點來看，外國人投資美國證券，比美國人划算，
因為資本利得免稅，只有紅利要繳稅。如果要避免被課紅利稅，
那就是買賣不分配紅利的成長型股票，如此一毛錢稅都不用
繳。

長期投資較省稅

如果你的課稅身分是美國人，資本利得分短（一年以下）、
長（多於一年）期，短期資本利得稅率和一般收入一樣，從10％
累進到39.1％（2002-2003年38.6％），長期資本利得稅率分兩級，
如果你的總收入的稅率在10％至15％，那麼長期資本利得稅率
是10％，如果你的總收入的稅率在28％以上，那麼長期資本利

得稅率是20%。

用netting來省稅

既然做股票賺錢要課稅，那麼賠錢怎麼辦？美國稅法對資本損失（capital loss)扣抵限制很多，一般是先認定每筆交易的資本利得或損失 是長期或短期，就像分裝籃子一樣：

長期投資的股票全部放在一個籃子裏，賺賠互抵，如果賠得比賺得多，就會有長期資本損失。反之，就會有長期資本利得；

短期投資的股票放在另一個籃子裏，賺賠互抵。如果短期投資的籃子裏賠得比賺得多，就會有短期資本損失。反之，就會有長期資本利得。

長期投資的籃子剩下的盈虧再和短期投資的籃子剩下的盈虧混合，賺賠互抵。如果再剩下的是長期資本利得，則按照10％和20％課稅，如果剩餘的是短期資本利得，則按照一般收入課稅。如果全部算起來，賠的比賺的多，那麼就是有資本損失，資本損失可以抵一般收入到3000元。如果資本損失超過3000元，那麼多餘的部分可以轉帳(carry over)到往後年度抵收入。沒用完的個人的資本損失可以無限期延到後面年度來抵稅。

資本損失和資本利得合併(netting)的方法分析如下：

短期資本損失＋短期資本利得＝短期資本利得(損失)

長期資本損失＋長期資本利得＝長期資本利得(損失)

短期資本利得(損失)＋長期資本利得(損失)

＝長(短)期資本利得(損失)

合併後剩下的盈虧課稅方法如下：

短期資本利得：一般收入

長期資本利得：10％或20％課稅

長(短)期資本損失：抵一般收入＄3,000，不足部分轉帳
到次年。

如此每年重複做合併(netting)計算資本損失和資本利得。

不只股票投資的資本利得和損失可以互抵，其他投資如房
地產和收藏品如名畫等投資的資本利得和損失也可與股票投資
的資本利得和損失互抵。不過，收藏品的長期資本利得稅率是
15％和28％，而不是10％和20％。房地產折舊回收部分的長期
資本利得最高稅率是25％。

公元2000年後稅率再降低

寫到這裡，已夠讓你頭昏了。1997年美國國會又再畫了一
個好景給投資人，讓你不樂昏也弄昏，那就是如果你在公元2000
年以後賣出股票，而這股票是你已擁有超過五年以上，而你的
稅率是15％，那麼長期資本利得稅率從10％降到8％。

如果你的稅率超過15％，那麼你的股票必須在公元2000年
以後買的，持有五年以後才能用較低的稅率，其稅率是8％和18
％。你也可以在2001年在帳上作賺，認列所得，就如賣掉舊股，
再新買同一股票一樣，如此你若再把這股票留五年，那麼就可
以用18％的稅率。18％和20％的稅率相差不多，為這區區2％，

需把股票留五年，可能吸引的人不多，但這種可以不賣股而在帳上作賺的方法，在2001年慘澹的股市中，如果你有虧損，手上又有已升值又捨不得賣的股票，那麼用這方法既可洗掉你的虧損，又能將來減稅，何樂而不為。

小型股票50%免稅

另一個鼓勵投資人購買小型公司的股票法律是在稅法1202(a)條，這法律規定投資人買賣合格小型公司的股票（qualified small business stock），資本利得可以一半免稅。不過，稅率只能是15%和28%。如此算來，實質稅率只有7.5%和14%。這種股票的限制很多，限於篇幅，不在此討論。小型公司股票的另一個好處是賺錢可能可以緩稅。如果你握有小型股票六個月以上才賣出，又在60天之內買進另一小型股票，那麼可以把資本利得（capital gain）轉到新股上，暫時不必繳稅。

年底清倉節稅

你手上如果有股票，應該在年底清倉，如此才能利用資本損失和資本利得合併算計（netting)的方法來省稅。最好在年底以前計算自己資本損失和資本利得，如果你預計今年有資本利得，手上又有很多套牢的股票，那麼可以在年底賣掉一些「坐套房」，也就是被套牢的股票去抵賺錢的股票。反之，如果你預計今年有很多資本損失，手上又有很多賺錢的股票，那麼可以在年底賣掉一些賺錢的股票去抵賠錢的股票，或者用上面所說的帳上做賺的方法去抵賠錢的股票。不過，租稅不是唯一的

考慮，股票的市場前景應該比省稅更重要。

避免wash sales和constructive sales treatment兩大陷阱

投資證券時，有兩個法律的大陷阱不能不注意，一個是wash sales，另一個是constructive sales treatment。否則你到年底可能要繳大筆稅。

Wash sales的規矩是，如果你在賣掉賠錢股票的前後30天內購買或簽訂合約購買相似的股票，那虧損不能抵稅。

Constructive sales treatment是1997年稅法的新條文，針對short sales等投資。Short sales就是借股來賣，以後再買股票來還給證券公司，只有在還股給證券公司股時才算賺賠。如果你做short sales 時賺錢，你又繼續買賣相似股票，卻不還股給證券公司，把賺的錢都留在那裡不報。另一種可能是你有賺錢的股票在手上不賣，但卻把類似的賠錢股票賣掉，也會有Constructive sales treatment的問題。Constructive sales treatment就是假定你把留在手頭的股票賣了或還給了證券公司，你要報收入。Wash sales和Constructive sales treatment細節很複雜，無法細談，

從以上分析可看出，買賣美國股票的課稅方法非常複雜，一般如果有比較複雜的股票投資，應該由專業人士替你做稅務規劃和報稅。尤其，如果你有遺贈得來的股票，更要小心，因為遺贈的股票的成本和持有時間都有特別的規定。

另一個要注意的是買賣股票的資料要長期保留，否則無法算出股票的買價和買進時間，就無法報稅。

認股權節稅法

在舊金山灣區的矽谷，一名美國國會議員開了一個類似於村里民大會，讓百姓來討論AMT稅對他們的傷害，一群年輕的工程師在會堂外示威，示威排上寫著「手槍不殺人，AMT稅殺人」。

2000年AMT稅如何殺人呢？其實還沒那麼嚴重，但弄得很多電腦工程師破產則是真的。我自己就看著客戶寫兩張加起來近100萬美元的支票繳AMT稅，看得真是心疼。他告訴我，說他在去年年底聽朋友談到我在《世界日報》登的一篇有關認股權（option）的文章，要大家看股票，如果exercise option後股價跌超過30％，那麼就應該要賣股票。他一下子來不及找到我的文章，沒賣股票，結果需要繳AMT稅。這故事說明年底節稅的重要性。

認股權（stock option）曾經是美國加州矽谷新貴的最愛，也是他們一夜間成百萬富豪的晉身階。2000年的局勢大變，很多認股權變成一文不值，更慘的是很多人在年初使用option買新股，以爲自己已晉身百萬富翁之階的人，卻發現有個噩夢在等他，那就是高額的替代最低稅（Alternative Minimum Tax）。也有人在2001年初，賣掉股票繳了稅以後，股票又一路猛掉。現在矽谷

新貴談的不再是認股權,而是誰被炒魷魚,誰又到中國去發展了。

他們以下是個真實例子,說明2000年的option市場的怪現象。

李君在2000年初利用她的認股權買股(exercise option)10萬股。認股價(Option price)每股10元,市價每股60元。因為她擁有的是合格認股權(incentive stock option),她賺的500萬美元〔($60-$10)×100,000〕可以緩稅。但這500萬美元算AMT收入,以28%稅率計算,她可能須繳140萬元AMT tax。因為她在達康(dotcom)公司工作,股票連連下跌,現在每股只值5角($.50),她面對50萬美元的虧損和將近140萬美元的AMT tax,她該怎麼辦?

她的運氣說好也好,說壞也壞,如果她在1999年年底exercise她的option,繳了140萬元AMT tax,2000年股票下跌如此,她可能一輩子都不能要回這稅金。因為她在2000年初購股,所以她可以在2000年底前賣掉股票,當年買賣,她不須繳AMT稅。她的50萬capital loss可以在一生中使用。如果她想要留下股票,那麼可以在低價時買進其他股票,如此省下140萬美元AMT稅,又有50萬美元的虧損可用。

因為wash sale法條限制,她若在賣掉虧錢股票31天前後買同一種股票,虧損不能拿來抵稅。因此,如果她有其他capital gains,想要利用這虧損,則她在一個月內不能再買自己公司的股票。如果她不想用那虧損,而且對自己公司還有信心,則可買自己公司的股票,把虧損roll over到新股。

如何避免替代最低稅（Alternative Minimum Tax, AMT）

AMT稅是認股權（option）股票族的最恨，因為他們在使用認股權（exercise options）購買公司股票時，本來可以緩稅，等賣股票時再繳稅，但卻需繳AMT稅。

Alternative Minimum Tax（AMT），是美國一個非常特殊的法律。因為這個名詞名實不符，根本不是什麼最低稅，所以很難翻譯，勉強翻為「替代最低稅」。這法律是為了防止有錢人避稅的重要工具。它把納稅人享受的多數的減稅優惠，如標準扣除額、列舉扣除額和特別扣除額中，以及各種利息，薪資和股票的免稅優惠都加回來，重新計算AMT收入，再給免稅額，用另一套稅率計算出Tentative Alternative Minimum Tax（暫時替代最低稅，TAMT），如果TAMT大於一般所得稅，TAMT減一般所得稅就是AMT，這是納稅人在一般所得稅外，要多繳的稅。如果TAMT小於一般所得稅，則繳一般所得稅。如果照這二者取其高的課稅方法，應叫「法定最高稅」（Mandatory Maximum Tax），而非「替代最低稅」（Alternative Minimum Tax）。

1999年高科技公司向國會遊說，國會通過不再對認股權（option）課AMT 稅，結果被Clinton總統否決。2000年（option）股票族受AMT稅打擊最重，因為2000年股票大跌，他們若在四月以前使用option買股票，又把股票留著，因為很多高科技公司的股票到年底已跌了有80％，他們可能面對股票虧損又要繳高稅的情況。李君就是最好的例子。2000年選舉，Fortune 500公司的CEO全部支持小布希，租稅政策應是重要原因之一。布希上

台，第一件事就是減稅，但AMT稅還是未刪除。911事件之後，
刪除AMT稅又在國會引起討論，這是option族最需要努力遊說廢
除的法律。

股票虧損又要繳高稅

　　為什麼會有股票虧損又要繳高稅的情況？這和option的課
稅有密切關係。

　　一般而言，員工利用認股權（exercise options）買股票時，要
付option價格買股票，再把買價（option price）和市價（purchase
price）的差額算是員工福利，要當薪水課稅（2001年最高39.1
％）。

市價	$65
買價（Option Price）	1
薪水	$64

　　如果是合格認股權（qualified options），那麼員工可以在賣股
票時再計稅，如果持有超過一年，則可以用長期資本利得（long-
term capital gain）的20％課稅，稅負減半。不過，合格認股權是
AMT稅的優惠項目（preference items），也就是說利用認股權買股
當年，買價和市價的差額不算一般收入，但算作AMT收入計稅。
AMT的稅率是26％和28％。option股票族在使用認股權買股票時
就可能要繳AMT稅。一般而言，股票跌到低於AMT除以所得稅
的稅率比時，賣掉股票繳的稅，會比不賣股票繳AMT稅還少，

就應該把股票賣掉。以2001年為例，認股權股票跌價超過28.39
％時，就應該賣股票，才不會繳AMT稅。

年度	最高稅率	AMT稅率	AMT/一般稅率	股票跌幅超過
2000	39.6	28	70.71％	29.29％
2001	39.1	28	71.61％	28.39％
2002-2003	38.6	28	72.54％	27.46％
2004-2005	37.6	28	74.47％	25.53％
2006以後	35.0	28	80.00％	20.00％

　　整體來說，美國稅法認股權的分類有兩種：法定認股權（合
格認股權）和非法定認股權（非合格認股權）。合於稅法421到424
規定的認股權稱為法定認股權（合格認股權），不合此規定的認
股權稱為非法定認股權（非合格認股權）。這兩種認股權的重要
差別在員工的課稅期間和種類，以及公司是否能以薪資抵稅。

認股權的課稅分三階段

　　一般而言，認股權的課稅分三階段：提撥（grant）、購股
（exercise）、和售股（sale）三階段。以一般的會計理論而言，只要
員工收到公司提撥的認股權，他就有權利在約定時間（段），以
約定價格（認股價exercise price）購買股票，所以只要認股權的價
格可以判定，那麼他就應該申報收入繳稅。「非法定認股權」
的租稅處理就是採用這原則。員工以認股權的市價減去所付的
認股價（option price）之差價申報薪資收入，再以認股價加所報薪

資收入為股票成本；公司以薪資費用支出，再入資本投資。購股（exercise）時則不再認列收入。出售股票時，則以賣價減成本計算盈虧。

因為不是所有認股權都可在公開市場上轉讓，所以市價不容易取得，如果無行情，那就要有以下的狀況同時發生才能在提撥（grant）時認定收入：（1）認股權是可轉移的；（2）認股權在提撥（grant）時就可行使（購股）；（3）認股權的限制對市價不會有顯著影響；（4）認股權的特權市價必須能認定。不過，這種情形很少會同時發生，所以員工一般都在購股（exercise）時付認股價買股，市價和認股價（option price）之差則認列收入，公司也同時以薪資費用支出。

因為員工購買股票或認購公司股權時，要把當時市價和認購價之差以薪資申報收入，認股價加上已認列的收入就等於員工的股票成本。出售股票時，則以賣價減成本計算盈虧。

認股權是可除權的。如果股票價值下跌，而認股權持有人不行使認股權購股，則他的成本（認股價＋已認列的薪資收入）就是資本損失（capital loss）。

從以上的分析可以看出，員工股票的課稅是非常清楚的，如果認股權有市價，認股權提撥給員工時，員工就要申報薪資收入，此時雇主也可在同一年度報薪資支出。如果認股權無市價，則員工行使認股權購股申報薪資收入時，雇主才能同時報薪資支出。而以上不合格認股權課稅有一問題，就是員工在認股權提撥或行使（購股）時，常常是無現金來付稅，只好賣股票來付稅，失去鼓勵員工和公司一體成長的本意，所以美國稅法

特別定了緩稅辦法，這就是美國稅法421到424條的法定認股權（合格認股權）。提撥認股權和購買股票時不課收入，但一旦持股人賣出股票則要課資本利得稅。

基本而言，法定（合格）認股權包含兩種：獎勵性認股權（incentive stock option）及員工購股計畫（Employee Stock Purchase Plan）。當員工享受福利時，老闆就要犧牲一些，也就是在利用法定（合格）認股權時，員工不報收入，雇主就不能報支出，也相對的不能做股東投資，所以，不是每個老闆都願意給法定（合格）認股權的。

有關以上（非）法定的四種認股權的課稅期間、種類、和雇主的課稅方法，請參考下表：

職工認股權（Stock Options）的認列收支時間

認股權種類		職工認列收入時間及種類			公司認列支出時間	
		提撥（grant）	認購（exercise）	出售（Sale）	一般	不合格時
法定（合格）認股權	獎勵性認股權			資本利得	無	與職工同時同額
	職工購股計畫			一般收入 資本利得	無	與職工同時同額
非法定（不合格）認股權	有市價	一般收入		資本利得	與職工同時同額	
	無市價		一般收入	資本利得	與職工同時同額	

上表中有所謂一般收入和資本利得，美國稅法對一般收入（regular income）和資本利得（capital gain）的課稅方法不同，一般收入的稅率是10％到39.1％（2001-2002年是38.6％，逐年遞減，2006年以後為35％），短期資本利得稅（股票交易增值所得稅）的稅率和一般收入相同，但長期資本利得稅（股票交易增值所得稅）的稅率只有10％和20％（詳見下表）。這也是法定（合格）認股權的租稅優惠之一。

2001年起，一般收入和資本利得課稅的差異

收入種類	期　　限	稅　　率
一般收入		10％-39.1％*
資本利得	短期（<一年）	10％-39.1％*
	長期（>一年）	10％-20％
	長期（>5年）	8％-20％
	長期（>5年）12/31/2005後	8％-18％
	小型股（>5年）	7.5％-14％

＊最高稅率調整如下：2001年39.1％；2002-2003年38.6％；2004-2005年37.6％；2006年以後35％。

Option族離婚，option的課稅

Option族離婚，分配財產時，option如何課稅？

國稅局於2000年說，合格option從工作的配偶轉到非工作的配偶，當做買賣，不再合格，也就是工作的配偶要在過戶時以

市價減option價報薪水收入。拿到option的配偶再以轉讓當天的市價當成本，做爲將來計算capital gain的基礎。

　　國稅局這立場和稅法1041條夫婦離婚分配財產不課稅的宗旨不合，也違反加州community property law中的規定：結婚期間取得的財產，夫婦各有一半權利。可能會有納稅人去法院挑戰。但是，對於想轉讓option的人，需要小心。最好是在離婚前exercise你的 option，如此才能保存合格option的延稅優惠。

國際人壽保險的租稅規劃

最近，台灣突然流行起到美國買人壽保險，風行的理由很多，其中之一是非美國人的美國壽險給付既免所得稅，又免遺產稅。

美國的保險觀念已超過百年，保險業在豐厚的利潤下，是美國國會中最強的「說客」（lobbyists）之一，所以美國稅法對的保險的課稅相當優厚。美國聯邦稅法對美國人和外國人的保險，課稅方式是不同的。美國被保險人的壽險的死亡給付（death payment）免所得稅，但可能列入遺產課稅。外國被保險人的的壽險的死亡給付免所得稅和遺產稅，保險公司付給外國人的利息和銀行存款一樣，免所得稅。

從以上的比較可看出，美國保險是外國人的免稅天堂。所以，決定你的課稅身分就非常重要。美國稅法和移民法對美國人的定義是不同的，所得稅法和遺產稅法對美國人的定義也不同，請參照〈當美國人代價不小〉。

美國保險業利害，但還不如台灣的財團，因為台灣的稅法，所有的人（居民、非居民）的壽險的死亡給付免所得稅和遺產稅。如果加上買美國保險免所得和遺產稅，則越洋買保險可完

全免稅。如果把土地抵押，借款來買保險，則可以把應課稅的台灣財產（土地），轉成免稅的保險給付，是台灣逃稅的一個大門。也難怪台灣有90歲老翁，花上億元台幣買保險，他們花費鉅資，根本無法從保險公司賺到什麼，更不需要人壽保險來保身後家人生活無憂，其目的只有一個：避稅。

人壽保險的課稅是否公平，因本書不討論租稅理論，所以在此不談，本文只介紹與國際人壽保險有關的一些基本觀念和美國稅法對保險的課稅，以及一些財務上應注意的事項。

人壽保險有幾個重要的關係人，他們是保險人（insurer）、被保險人（insured）、所有人（要保人，owner）、受益人（beneficiary）。最簡單的人壽保險就是被保險人出命，要保人出錢給保險人，保險人在被保險人死亡時付錢給受益人。但現在的壽險已變成遺產規劃、商業、和投資的工具，保險的定義也不是那麼單純，一般人也無法知道一個所謂的「人壽保險」是不是真的人壽保險。

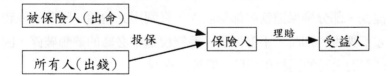

國際人壽保險的租稅問題更複雜，因為以上四種關係人都有可能是在不同的國家，也有很多是雙重身分，加上不同國家有不同的保險法令，保單的種類也不同，所以在越洋買保險時，要把不同國家的法律一併列入考慮。

何謂人壽保險保單

美國稅法7702條規定，人壽保險必須通過兩個試驗之一才是人壽保險保單(life insurance contract)。

一、累積現值(cash value accumulation)。也就是棄保時，要保人可拿回的現金值(cash surrender value)不能超過當期死亡給付的保費。

二、保費規定指標(guideline premium requirements)和現值範圍(cash value corridor)。保費規定指標由政府每年規定。現值範圍則以被保險人的年齡來決定累積現值可達死亡給付的保費比例，從100％到250％。

如果保險不符合以上規定，將被當做修正養老保單(modified endowment contract)。如此，用稅法72(e)(10)養老保單的稅法去課稅，保險內累積的盈餘要先課所得稅，所有的借款、現金提款、部分棄保還款等都算收入，直到用完盈餘，回收的保費才不課稅。那時，不但你那一毛錢稅都不必繳的夢想破碎，因疏忽而欠稅的罰款和利息可能讓你昏倒。

保單不合規定　保險公司要負責

因為以上稅法7702條規定需要精算師精算，一般買保單的人不可能知道自己的保單是否合法，所以選擇保險就很重要。一般而言，定期壽險(term life insurance)一定符合以上規定，其

他的保險如全險(whole life insurance)、變動壽險(variable life insurance)等，如果保單的投資性質過高、棄保值太高、保險公司名氣小等，危險性較高。而且，最好在合約上要保險公司保證，如果保險公司精算錯誤，那麼損失的部分由保險公司賠。

在久遠以前，美國的人壽保險，原多是為所愛的人而買，所以，出錢(要保人)出命(被保險人)的往往是同一人。從所得稅的立場來講，只要合於規定的保單，反正死亡理賠不課稅，這樣做沒問題，但是，從遺產稅的觀點來看，如果出錢出命的都是同一人，那麼死亡理賠列入遺產。

根據遺產稅法第2041條規定，毛遺產(gross estate)包括：

a. 遺產管理人應收的壽險給付。
b. 其他受益人應收，但死者在死亡時單獨或與人共同據有「所有權的事實(incidents of ownership)」的壽險給付。⋯⋯

「所有權的事實」包括取回權(取回死亡前保險淨值5%以上的權利)或轉讓權等。

如何避免遺產稅？

從上面的說明可看出，要避免遺產稅，要把保險所有人和被保險人分開，被保險人也不可直接和間接有權去控制保險。例如，替孩子設立不可撤銷信託，每年存一萬美元以下到信託買自己的壽險，以信託做受益人，這可免贈與和遺產稅。但若

自己又做為信託管理人，那樣就犯了以上2041(b)的錯誤。因為信託管理人可以控制保險。所以，要找第三者做信託管理人。

新移民中很多夫婦是一人是美國人（有綠卡或公民權），另一人是外國人（非公民非居民），這時買壽險就要注意，美國配偶的壽險要由外國配偶用分別的財產來買，外國配偶或子女（信託）做受益人，如此所有人和受保人分開，保險的死亡給付免所得稅和遺產稅，利息免所得稅。外國配偶的壽險也要由外國配偶來買，因為外國被保險人的壽險死亡給付免所得稅和遺產稅，利息免所得稅，如此美國政府就碰不到這筆錢。

但有一件事要注意，如果夫婦來自聯合財產制（community property）的地區，如台灣或美國的五個聯合財產制的州，不管財產在誰名下，除非聲明是分別財產，否則都是聯合財產，夫婦各擁有一半財產權，因此不論由誰付款，都當作夫婦一起付款，配偶是不是有一半的壽險所有權呢？那麼，開太太的支票買丈夫的壽險，算不算所有人和受保人分開？這點是非常值得懷疑的。舉例來說，台灣和美國加州都是聯合財產制的地區，如果丈夫未申請綠卡，太太拿綠卡住在美國，夫婦都不曾聲明用其他財產制，或是哪些財產是共有或分別財產，那麼就假定是聯合財產制，所有婚後的財產都是各擁有一半權利，這點也是需要注意的地方。

除了為所愛的人出錢出命買壽險外，也有為不愛的人買壽險，這時出錢（要保）和領錢（受益）的人就往往是同一人。最近美國破獲一母親和兒子聯手，槍殺爸爸領保險的案子，就是一個例子。

商業壽險

壽險除了用來保障家人外，也被用來做商業用途，如獎勵員工和保障生意，於是有：關鍵人險(key-man insurance)，分錢險(split-dollar insurance)，買賣合同險(buy-sell agreement)，團體險(group term life insurance)，和債權人險(creditor insurance)等。

關鍵人險(key-man insurance)由公司替高級主管保，以免高級主管過世後公司收入受影響，公司付保費時不能抵稅，但死亡理賠免所得和遺產稅；

分錢險(split-dollar insurance)是由雇主和員工(或他人)共同擁有員工的生命險，一般是員工出相當於定期保單(term life insurance)的保費，公司出其他保費。保險理賠時，也是由雇主和員工分。一般而言，死亡理賠免所得稅，遺產稅則看保險由誰擁有，如果員工沒有「所有權的事實」(incidents of ownership)，且員工不是公司的主要股東(majority shareholder)，那麼可免遺產稅。

買賣合同險(buy-sell agreement)是在合(股)人過世時，用壽險理賠來買合夥(股)人的股份，如此未亡的合夥(股)人可以繼續事業。一般有：公司出保費、合夥(股)人互買等。

團體定期險(group-term life insurance)是員工福利之一，由公司出保費，五萬美元以下保單的保費免算員工收入，超過部分列入員工收入。死亡理賠免所得稅，但因為和雇用有關，除非已把所有權轉讓三年以上，否則要列入遺產。

　　債權人險(creditor life insurance)其實不是一種產品,一般都是債權人要求負債者保險,以債權人爲受益人和(或)所有人,所以在負債者過世時,債權人有保障。死亡理賠免所得稅,要不要列入遺產,就看被保險人在過世時有沒有「所有權的事實」。

買病危者保單?

　　除了商業用途外,也有人把保險當投資,如買病危者的保單。1993年起美國的新稅法規定,病危(terminally ill)者收到保險給付,可以當死亡給付處理,所以不久就流行起買病危者的保單來投資。最近電視報導,在愛滋病的新藥發明前,很多愛滋病後期的病人已被宣佈不久於世,他們透過中間人,把壽險的保單用面額的70%~80%賣給投資人。沒想到,愛滋病的新藥發明,一個已幾乎不能走路的垂危病人,用賣掉的保單的錢去買新藥,又活跳跳的。投資人除了一年再一年付保費外,還要隨時打電話確定被保人是否還在人世,對投資人和被保險人都是非常不愉快的經驗。

　　買病危者的保單不能享受免所得稅的好處,這種投資的課稅和一般投資差不多,死亡給付的免稅範圍只有到投資的金額,多出的部分當一般收入處理。

買保險　考慮付款能力

　　以上是跨國買保險的租稅簡介,壽險除了以上的好處外,目前保險公司極力宣傳用壽險給付的現金來付遺產稅,以保護

其他的資產。這個說法以前沒錯，也值得考慮，但布希政府2001年新稅法，已逐年大幅提高遺產稅的免稅額到2009年的300萬美元，並將於2010年廢除遺產稅，除了極有錢的人外，用壽險付遺產稅的需要已大大降低。唯一的問題是這個法律有廢除條款（Sunset Provision），除非國會另立新法，把它變成固定法律，否則2011年以後又會回到原點。

買壽險還有另外幾個問題要注意。

1. 買大保單時，要考慮付款能力，很多個人或公司為了省稅，把錢花在保險上，影響現金流動，等到發現手頭緊，付不出保費時，要棄保的損失是非常大的，因為保險單上有很多保險公司的費用和佣金，棄保時能拿回的現金很有限。

2. 有人說可以向保險借款，但向保險借款是要付利息的，也不能借太多，否則當收入課稅。

3. 另外要注意的是法律的變化，跨國保險的商業法律和稅法還未完全成熟，當各國政府發現資金或稅金在流失時，會想辦法去修改法律，壽險是長期投資，不能不慎。

生根的第一步——購屋置產

華人喜歡買美國的房地產，美國東西兩岸，不論紐約或洛杉磯，不論舊金山或聖荷西，華人去到哪裡，房地產市場就被炒得火熱。

購買美國房地產，是在美國生根的一大步，因為房地產變賣，不如其他投資那麼容易。除了投資的目的外，多半購屋是準備生根。

購屋置產有兩種，一種是自住，一種是投資。本節談自住宅的節稅法，房地產投資下節討論。

自住宅的節稅有二，一是每年的房屋貸款利息和房地產稅可以當做列舉扣除額來減稅，另一是買賣自住宅25(50)萬美元的免稅額。美國這種支出可減稅而收入不課稅的法條很少，加上自住宅貸款一般利率都較商用貸款低很多，所以自住宅變成一個非常好的投資，也是在最近兩年股市慘綠，但房市一支獨秀的主要原因之一。

房屋貸款利息減稅

美國鼓勵住者有其屋，所以可以有兩棟自住宅、貸款總額

高達100萬美元的利息和房地產稅可以當做列舉扣除額來減稅，這是目前中等收入的人最大的一個省稅投資。相對而言，租房子付房租的人，房租卻不能當扣除額來減稅，這種不公平的法律，也使得購買自住宅非常吸引人。一般購屋前幾年，貸款加其他開銷可能比房租支出會多些，但長期而言，購屋會比租屋划算，把房租拿來付房屋開銷，既可有個自己的窩，又可省稅，而且房屋一般都會漲價。根據調查，房屋淨值（home equity）也是目前美國多數人最大的一筆資產。

我一般都建議客戶，只要付得起頭期款（自備款），收入合於貸款的條件，就應該買房子。對做父母的人而言，給子女一生最好的禮物，第一是教育學費，其次就是買房子的頭期款，這兩者都是幫助子女財務獨立的最好方法之一。

是不是房屋貸款可以節稅，就應該買大房子呢？也不見得，因為自住宅雖可省稅，但到底還是一筆大支出。而且，一個房子，「家」的感覺比大小還重要，太大、對自己負擔太高的房子，會用掉手邊的流動資金，一旦經濟發生變化，如2001年的經濟衰退，第一個跌的是股票，接著很多人失業，再跌的是大房子。慢慢地，撐不下去的人才開始賣小房子。所以，如果有錢，先給自己買個家，接著為自己買個投資性的產業，這才是較好的理財的好方法。

父母在替子女付頭期款時，要注意贈與稅的問題。如果你是美國人，那麼贈與每年超過一萬美元就要申報。如果你不是美國人，那麼最好在海外直接匯款到美國子女的帳戶，由子女開支票付頭期款，不要把錢直接匯給對方、過戶公司（Title

Company)或律師。因為美國房地產是美國財產，外國贈與美國財產要繳贈與稅，而且沒有免稅額。如果國外直接是電匯，則不必繳贈與稅。

美國稅法規定，父母親貸給子女的自住宅頭期款，10萬美元以下貸款可以免利息。如果超過這個金額，那麼要按照國稅局規定的利率計算，當作利息，要報利息收入，免利息部分算贈與，要報贈與稅，這個雙重課稅是相當可怕的。如果父母善用這10萬美元貸款免利息，加上每年每人一萬美元免稅額，則可以達到免稅贈與的目的。

美國另一個鼓勵買自住宅的法條是在退休金方面，如果你是第一次自住宅買者，你可以從個人退休帳戶(Individual Retirement Accounts)裡拿出一萬美元來當頭期款，如果是傳統個人退休帳戶(Traditional IRA)，這一萬美元當作收入，但不會被課6%的提前分配罰金(early distribution penalty)。如果是從羅斯退休帳戶(Roth IRA)提出一萬美元以下，而你已存入超過五年，那麼免所得稅也免罰金。

家庭辦公室(Home office)

客戶常常問我，可不可以在家裡開公司，我說可以。聯邦和州政府都不限定你一定要在商業或工業區開公司。但是，多數縣市政府都有建築法規，規定哪些地區和哪個行業可以在家開業、可不可以請員工、以及家庭辦公室可以佔整個自宅的比例等。因為各地規定不同，無法一一說明。

最近，Hewlett Packard公司把創辦人起家的車庫買下，準備

做為博物館。美國很多大企業如HP、Apple等的創辦人都是從車庫和家庭辦公室起家，家庭辦公室有那些租稅的好處呢？

家庭辦公室的第一個好處是辦公室部分的房租、水電、保險、維修等開銷，以及房屋折舊、貸款利息、房地稅等可以當支出抵稅。

但是，家庭辦公室最大、也最吸引人的是車子的開銷。美國稅法規定，通勤的里程不能當支出抵稅，但從辦公室到辦公室或從辦公室到客戶處所的里程可以當支出抵稅。一旦家成為辦公室，那麼從家到辦公室也許只要下個樓，甚至走到另一個房間就可以了，所以也沒有通勤的里程。因此，從家到任何與生意有關的地方的里程(mileage)都可當支出抵稅。

為了避免逃稅，家庭辦公室的使用必須合於以下條件：1. 完全(exclusively)、經常(regularly)，用來做與生意有關的(in connection with a trade or business)的利用；2. 它必須做為主要生意場所(Principal place of business)或經常接待客戶的地方。若是和住宅分開，如車庫，則須用於生意；3. 若員工用自家當辦公室，則須是為雇主的便利。

「主要辦公室」也可指(1)納稅人的生意的行政和管理的地方，(2.)納稅人沒有其他行政和管理的地方。國稅局原規定只有接客戶的地方才能當家庭辦公室，但在法院輸了官司，所以現在只要沒有固定的工作地方，在家給客戶開帳單的人，都可有家庭辦公室。如醫師、推銷員、專業演講員、水電工和在家用電腦和公司連線的工程師等，都可用家庭辦公室來抵稅。

家庭辦公室缺點是，當住家轉成辦公室，那麼辦公室的部

分就不是主要自住宅，如果使用為辦公室超過三年以上，那就可能不再合於「過去五年自有自住兩年以上」（見以下說明）的規定，則辦公室的部分不能享受25萬元（夫婦50萬元）免稅額，而且，房屋折舊部分不能免稅。對想要賣自住宅的人，這點不能不注意。

出售自住宅，50萬美元增值免稅

美國政府在1997年通過新稅法，規定1997年5月6日後出售主要自住宅（principal residency）的人，如果合於條件，每人可以有25萬美元的增值（capital gain）免稅額，如果夫婦合併報稅，則最高可享受每對夫婦50萬美元的增值免稅額。

稅法121條規定，個人在過去五年內，只要是「自有」和「自住」此住宅兩年以上就可享受25萬美元免稅額。如果夫婦(1)一人合於自有條件，(2)兩人合於「自住」條件，和(3)無人在過去兩年內享受免稅，那麼夫婦可享有50萬美元的免稅額。而且，每人每兩年就可享受一次免稅。

納稅人在住了兩年後搬出來，出租三年再出售？可不可以可享受免稅？如果讀國會所立的稅法121條規定，只要自有並當主要自住宅兩年，就可以享受免稅，法條中並未規定要先租再自住或先自住再出售或做家庭辦公室。

如果因變換工作而不能合於自住兩年條件，則可按居住期間比例計算免稅額。若住養老院，則只要在過去五年內自有自住一年，再將養老院居住期間加上去，合於兩年的條件，就可以免稅。2001年新法規定，2010年遺產稅廢除後，自住宅若因

爲不能再用成本爬升法（step-up basis）而需要繳資本利得稅（capital gain tax），繼承人可以把被繼承人的居住期間算入自有自住的規定。

如果搬家原因是因爲換工作，或因健康的理由，或者是不可預料的狀況，就可以按照所住時間做比例分配。例如：只居住一年，但因爲法律規定兩年才免稅。所以可計算出二分之一的免稅額，也就是個人12萬5000元，夫婦25萬的免稅額。通常一棟房子不會在一年內增值過大，所以增值部分多半是免稅的。

三年前當國會通過稅法121條時，要求國稅局對「不可預見的情況」下定義。三年過去了，國稅局在2000年的實施條例提案（proposed regulation）中，還是未對「不可預見的情況」下定義。對不是因健康和工作原因，而需賣屋的人能否享受比例免稅，增加了不確定性，但國稅局的一名主管說，人生本多變，在國稅局實施條例對此下定義之前，不可預見的情況應該包含很廣。

一位客戶原本爲孩子申請台北的美國學校，且已將美國的房子賣了準備回台定居。沒想到申請沒有名額，美國長大的小孩無法在台灣上一般學校，由於小孩仍必須回美國就學，這位客戶只好馬上再買一棟新的房子。由於這不可預知的情況，我於是爲他申請增值免稅的要求。

因爲稅法121條規定出售過去五年自有、自住兩年以上的主要住宅就可享受25（50）萬免稅額。自住宅的賣價若低於25（夫婦50）萬元，則經紀人（如title company）代辦時，也不必向國稅局

申報1099-S（Proceeds from Real Estate Transactions），納稅人也不必在所得稅表上申報房屋買賣。但是，賣者須向經紀人說明他們合於免稅的條件，也就是：1. 他們自有自住房子超過兩年；2. 過去兩年內未享受免稅優惠；3. 沒有任何部分的房子做爲商業用途；4. 售價低於25（夫婦50）萬元。

　　因爲新法只規定1997年五月後之折舊才須要扣回，也就是說1997年五月前之折舊可能免稅，這法律漏洞之大，使很多出租房屋多年的人，可以利用賣掉自住宅，收回出租的房屋，自己住兩年，再賣掉此房屋，如此幾度搬家，幾年之中，就可清除全部房屋增值和老折舊，一塊錢所得稅都不必繳。（依我看，這漏洞太大，可能不久就會被補起來）

　　這條新稅法 不只對老移民有利，對新移民更好。因爲很多新移民都是在拿到綠卡後才回原居地處理財產，而美國法律規定綠卡持者的「世界收入」和「世界財產」都是課稅範圍。而且原法律不管你的財產是否在拿到綠卡前就已增值，一律都要課稅，結果新移民剛做山姆叔叔的「入門新娘」，就要賠上大筆「嫁妝」（稅金）。

　　以台灣自住宅爲例，在台灣出售自住宅，土地增值稅按公告地價計算，且增值稅率只有10％；反之，美國聯邦的增值稅率最高是20％，若加上州稅，增值稅率可以高達30％，而且美國稅法規定，增值是按市價計算，增值額一般算起來比台灣更大，所以新移民回原居地處理財產，繳了台灣的增值稅後，還要補繳給美國政府大筆增值稅。新稅法規定，大部分人的「嫁妝」（增值稅）已免了大半，可以大大方方賣住宅，把錢匯到美

國來用。

為了懲罰對「山姆叔叔」不忠的人，新稅法規定放棄公民權和綠卡的人，如果他們放棄公民權和綠卡為了逃稅，他們不只賣房屋要繳「棄國稅」，還不能享受出售自住宅免稅的優惠。

放棄綠卡後10年內，出售持有綠卡其間的擁有的財產，若有增值，就必須繳棄國稅。例如，拿到綠卡當天在台灣有一棟房屋值50萬美元，放棄綠卡當天這棟房屋值90萬美元，增值40萬美元。放棄綠卡後10年內賣掉這棟房屋，這40萬美元增值就要向美國政府繳稅。

長期永久居民是指在放棄綠卡前15年內，有8年是美國永久居民。根據新稅法，只要納稅人在過去5年內的納稅額超過10萬美元，或是資產超過50萬美元，不管你是為了什麼放棄綠卡，都認定放棄綠卡是為了逃稅。但國稅局把規定放鬆，規定放棄綠卡也和放棄公民權一樣，可以向國稅局申請認定放棄綠卡不是為了逃稅。有關申請的詳細規定，請參考〈綠卡：相見時難別亦難──放棄居留權須繳棄國稅〉。

很多人問我，放棄綠卡後，多數人不再需要向美國政府報稅，國稅局怎麼知道你何時賣了房子？這是一個好問題，但我有幾個問題不回答客戶的，其中之一是國稅局會不會查帳，再來是會不會查到你。

有土斯有財
——投資美國房地產

　　投資房地產的目的一般有二：一是為了資產增值，二是為了有租金收入。對美國人而言，房屋貸款利息抵稅也成為購屋自住的主要目的之一。但對外國人而言，租金收入和增值是投資房地產的主要目的。

　　投資美國房地產，第一個面對的就是房地產稅，另外是租金收入和買賣增值的所得稅，以及遺產和贈與稅的問題。

　　美國房地產的買賣是開放的，外國個人和公司、合夥、信託等組織都可買美國房地產，外國投資人也可組美國公司、合夥、信託等來買美國房地產。美國也有上市的房地產合夥持份，叫做房地產投資信託基金（Real Estate Investemnet Trust, REIT）。就像股票一樣，投資人可以在公開市場買賣REIT。

　　有人說房地產可以像債券一樣，作為股票風險的分散工具，但也有人不同意，因為當經濟不景氣時，股票第一個下跌，接著就是房地產，兩者只是下跌有時差，並不是對沖。

　　房地產投資有很多的緩稅和免稅的法條，如果好好利用，可以投資越來越大，不但生前不繳稅，走的時候還可以揮揮手，

不留一毛錢稅給美國政府。緩稅顧名思義，就是暫時不繳稅，但將來要繳。免稅則是永遠不必繳。這幾個法條是：

1. 折舊（Depreciation）

一般房地產都是價錢越來越高，只有在經濟不景氣或漲得太高時才會短期下跌，但長期而言，房地產都會漲價。但在帳上，出租的房地產卻不斷的折舊。美國規定出租的住宅用27.5年折舊，商用建築用39年折舊。以一棟一百萬美元的房子，一年的折舊就有約三萬美元。加上貸款利息等支出，投資房地產前幾年在帳上往往是虧錢的，但實際卻有現金淨收入。紙上虧損一年最高還可以有$25,000可以拿來當支出抵一般收入，如果你的聯邦所得稅率是28%，加上州稅9.3%，那麼一年可以省稅八千多美元。有現金收入又可減稅，很多懂得理財的人用這現金流和紙上虧損省的稅來一棟一棟養房子，像母雞生蛋孵小雞一樣，越生越多。

房租收入	$60,000
支出	-55,000
淨現金收入	5,000
折舊	-30,000
紙上虧損	-$25,000
省稅（2325+6349）	8,674
淨現金流入（5000+8674）	13,674　轉投資

2. 換房子（1031 Exchange）

　　美國稅法第1031條有小房子換大房子緩稅的辦法，一般稱為1031 Exchange。這法條規定只要合於條件，在賣掉房子後，如果買一棟同價或更高價的房子，賺的錢可以不必繳稅，但是要減少新房的成本，等賣新房時再課稅。原來法律規定要先賣後買，但新法規定可以先買後賣。換房緩稅的法條規定很複雜，後面再談。先談這法條的好處。因為漲價和折舊，你在賣房子時可能會賺很多錢，如果沒有緩稅法條，你就要馬上繳稅，但用換房緩稅辦法，你可以在一生中不斷的擴大你的投資，但都不繳所得稅。

3. 成本爬升（Step-up Basis）

　　折舊、漲價、加緩稅，你一生的房地產投資可能不只不必繳稅，還可以拿來當免稅的工具，但國稅局會不會總有一天等到你，在你走的時候狠狠敲你一筆？有可能，但你也有可能躲過國稅局的如來大掌，其訣竅就是遺產的免稅額和房地產成本爬升的法條。美國所得稅法規定，一個人過世時，他的所有資產的成本都以過世那天的市價為成本，如果在當天把他的所有資產賣掉，則市價等於成本，一毛未賺，當然一毛錢所得稅都不必繳。想想看一個人一生利用折舊、漲價、加緩稅，累積了多少盈餘在房地產裡面，在走的時候可以一筆勾銷。2001年新稅法規定廢除遺產稅後，遺產的成本爬升不能超過130萬美元，但由公民配偶繼承的財產，可以加300萬美元的成本爬升。如果把財產給配偶，有430萬美元的免稅額。外國人的成本爬升只有6萬美元。

4. 遺產相當免稅額（Applicable Exemption Amount）

　　2001年布希政府的十年減稅計畫，爭議最多、也最複雜的是遺產稅法的修改。這法條主要是年年提高遺產稅的免稅額，從2001年的67.5萬美元，到2002年的100萬美元，一直到2009年的300萬美元，2010年完全免遺產稅，但因爲日落條款，2011年又可能回到100萬美元。有人開玩笑，說醫院要不要拔掉垂危病人的維生器，不是要看黃曆，應該看稅法的法條，看死在哪一年所得和遺產稅加起來最少。對房地產投資的人而言，遺產免稅額越高越有利，因爲有300萬美元淨資產的美國人並不多。

　　從緩稅到免稅，不論買房子自住，或是其他房地產投資都可以享受很多的租稅優惠，這也是幾年來美國房地產價格高漲不下的原因之一。現在很多美國的銀行發行房屋淨值（Equity Line）卡，就像信用卡一樣，你可以先申請可貸款金額，不用時不繳利息，用時就像刷信用卡買東西一樣，刷多少算多少房屋貸款，利息算房屋貸款利息，因爲是抵押的借款，所以利息比一般信用卡低很多，還可以拿來抵稅。2000年到2001年經濟不景氣，產業蕭條，但房價獨秀了很長的一段時間，百姓也還拼命花錢，聯邦準備會主席葛林斯班（Greenspan）就分析，說現在很多人都靠房子漲價，用房屋淨值在花用。我個人不是很贊同這樣做，因爲拿房子這樣花實在有點危險，如果房價下跌，自己又付不出每月的分期付款，那麼只好把房子給銀行了。這個拿房子花用的趨勢能維持多久不知道，但可以看出租稅政策對經濟的影響。

租金收入的課稅

對美國人而言，房子的各項開銷如貸款利息、地稅、折舊等都可抵房租收入，來降低所得稅，再把房租的淨收入和其他收入合併，計算所得稅。

如果有虧損，則最高一年可當支出減掉一般收入2萬5000元。這2萬5000元的支出受到遞除（Phase Out）法則的限制，如果調整後收入（Adjusted Gross Income, AGI）超過10萬美元，每多賺一美元，可使用的虧損減少50分，AGI到15萬美元，虧損就不能抵稅了，所以如果你的年收入12萬美元，你的可扣除收入少了1萬美元，剩下1萬5000美元（25,000 − (120,000 − 100,000) × 1/2），不能減抵的虧損，可以留到以後年度去抵，如果每年的收入都超過15萬美元，會不會永遠失去這扣除額呢？不會的。在你賣掉整個投資時，不能扣除的金額就可以用了。

外國人的美國房地產的租金收入是美國來源收入，原來房租是屬於與美國業務無關（非營業）收入，所以付租金的人應該用固定稅率扣繳30％的租金，繳給美國國稅局後才把剩餘租金給你。但美國政府特別立法，准許外國人選擇將房租收入列為與美國業務有關（營業）收入，也就是房屋出租的各項開銷都可抵收入，也用累進稅率，而非30％的固定稅率去課稅。不過，如果外國人出租房地產有淨虧損，則不能拿到其他年度去抵稅，但可以變成財產的成本，等賣掉的時候再抵稅。

房地產買賣的課稅

　　根據一般課稅原則，外國人的美國房地產增值（capital gain）是按照「與美國業務無關」的法規課稅的，也就是說總收入的30％要扣繳給國稅局，除非這個財產是做生意的資本財，或「與美國業務有關」。但在1984年，美國立法改變這整個情況，規定外國人出售美國房地產，增值稅視爲「與美國業務有關」的收入，扣除各項支出後淨收入要課稅。

　　房地產的增值算是一般收入，或是資本增值（capital gain）？這要看房地產的用途，如果是以房地產買賣爲業，房地產只是存貨，或是把房地產拿來做廠房，辦公室等，那麼房地產買賣收入就是一般收入或虧損。如果房地產是用來投資，那麼增值就當做資產增值。

　　房地產增值如視爲「與美國業務有關」，則依照累進稅率課稅。若是視爲資本增值，則短期資本增值當做一般收入處理，長期資本增值稅率爲10％和20％，折舊回收稅率是25％。

　　外國人賣美國房地產的手續較麻煩，一般仲介會代買方扣繳10％的賣價交給國稅局，如果有州稅的州，還要扣繳州稅，再由報稅人去申請退稅。一般申請退稅須等次年才可報，而且等退稅也要二、三個月，如果在年初賣屋，等於把把10％的賣價無息放在國稅局一年，既損失利息，也影響現金流動，最好向國稅局申請免扣繳證明，用8288-B Application for Wtihholding Certificate for Dispositions by Foreign Persons of U.S. Real Property Interests，國稅局同意後，就可免扣繳。

　　如果有賣方提出下列五項證明，則可免扣繳：

1. 賣方不是外國人
2. 賣方不是外國人所有的房地產公司
3. 國稅局發的免扣繳證明（qualifying statement）
4. 買方買30萬美元以下的自住宅。
5. 賣方賣的是上市的美國房地產公司（Real Estate Investment Trust）的股票

外國人出租或買賣美國房地產，在買方扣繳10%的毛收入之後，不論賺賠，都規定要報稅。如果外國人投資的美國公司、合夥、信託和遺產賣了房地產後把盈餘分配給股東、合夥或受益人，則分配額要扣繳淨收入的35%，再由股東、合夥人或受益人去報稅。

遺產、贈與和隔代遺贈稅

從贈與和遺產稅法的觀點來看，非居民外國人把自己擁有的房地產遺贈給配偶或子孫，是所有遺產贈與中最不划算的。以贈與稅來說：

1. 房地產是屬於美國財產，外國人只要贈與一個人超過一萬美元的美國財產，就要繳贈與稅。
2. 外國人應課稅的贈與是年年累積，用18%到55%的稅率（新法已改，見2001年新稅法解析）計算的收稅額，再把以前的贈與稅拿來抵稅。
3. 外國人的贈與稅沒有統一扣抵額，也就是贈與每個人

超過一萬美元以上，都要課稅。一般房地產分割不易，
很容易高於一萬美元。

4. 贈與不只包括一般贈與，也包括半買半送。例如，買
賣財產低於市價，那市價和買價的差距，也算贈與。

5. 非公民的受贈人不能拿100％配偶的免稅額，但一年有
10萬美元的免稅額。

再以遺產稅來說，美國公民和居民的所有世界遺產都要算
入遺產毛額。而外國人在美國的各種財產，不論有形無形，都
要算入遺產毛額。再按照美國和世界遺產的比例，來扣各種支
出，所剩的就是應課稅遺產。

還有一個一般人忽略的稅，那就是隔代遺贈稅。隔代遺贈
稅顧名思義就是財產不傳子而傳孫，一般有三種情形：(1)直接
隔代贈與；(2)信託終止時，隔代得到財產；(3)信託分配給第
三代。隔代遺贈稅的稅率是遺產稅的最高稅率，免稅額是一百
萬美金，非居民外國人只有美國財產要課稅。

以上分析可知，外國人直接把美國房地產遺贈給他人，要
課遺產，贈與和隔代遺贈稅。可不可以用其他的方法移轉來免
稅呢？一般的原則是：

1. 非居民外國人把美國公司股票送人，不必繳贈與稅，
但要繳遺產稅。

2. 非居民外國人把外國公司股票送人，不必繳贈與稅和
遺產稅。

3. 設立可撤銷信託（revocable trust），不算贈與，設立人還是房地產擁有人，所以要繳遺產稅。

4. 設立不可撤銷信託（irrevocable trust），是贈與美國財產，要課贈與稅，不課遺產稅。

5. 設立美國和外國合夥，贈與合夥權利也不課贈與稅，但要課遺產稅。

　　房地產是美國財產，個人擁有的美國遺產要課稅。但若用公司來擁有美國財產，要不要課遺產稅，答案是：外國人擁有美國公司股票，算是美國財產，要併入美國遺產，但若外國人擁有外國公司股票，再由外國公司擁有美國公司股票，則不併入美國遺產。如果用合夥來擁有，因為是美國房地產，應該是美國財產。給美國人的借款也算美國財產。

　　從所得稅的觀點來看，個人直接擁有美國房地產最簡單，也省稅。但為了要避免贈與和遺產稅，所以很多人用外國公司擁有美國公司，再擁有美國房地產。如此雖然避免了遺產稅，但也把美國房地產的所得稅報稅弄得非常複雜，也會造成多重課稅的問題。例如美國公司的房地產租賃收入課稅一次，美國公司分配紅利給股東再課稅一次，外國公司把美國公司分配算入收入，再課稅一次。外國公司分配紅利給股東時，再課稅一次。一個投資，有兩個國家，四種稅要申報，要繳。雖然有外國稅扣抵和（或）所得稅條約來避免多重課稅，但對投資者的會計成本相對增加。

智慧財產權的課稅

　　「地球村」越來越像樣，國際文化的交流，越來越頻繁，電腦軟體一天比一天風行，所以國際智慧財產的保護日受重視，而國際智慧財產的授權和轉讓，也造成國際稅法的重大課題。

　　智慧財產權包括版權和專利的版稅。例如，電腦軟體、錄影帶、音樂帶、和書籍等授權或進口美國，若不准翻印，則視為一般商品。如果准許翻印，則視為版權或專利買賣（Copyright or Patent Sale）或是使用專利或版權的版稅（Royalty）。

　　本文以香港公司銷售具有版權的錄影帶到美國加州的子公司為例，說明如何利用國際稅務規劃來省稅。以美國公司給付香港公司每年一百萬美元版稅來計算，好的租稅規劃可以替一家公司省去一年數十萬美元的稅負。一般電腦軟體和專利的版稅課稅方法非常類似，只是一小部分的不同，限於篇幅，不一起討論。

　　版權或專利進口美國，應兼顧美國聯邦所得稅（Federal income tax）、州所得稅（state income or franchise tax），和州銷售及使用稅（sales & use tax）。若以美國加州的子公司付給香港母

公司的版權費總額100萬美元爲例估算，母子公司的合約條文如擬定不當，每年將增加香港公司所得稅負約聯邦所得稅37萬美元，及8萬多元的加州使用稅。美國公司使用稅負約13萬美元一年。母子公司稅負增加如下：

香港公司： 聯邦所得稅　$1,000,000 \times 30\% = \$300,000$

加州所得稅　$1,000,000 \times 7\% = 70,000$

合計　　　　　　　　　　$\$370,000$

美國公司： 加州使用稅　$1,000,000 \times 8.25\% = \$82,500$

I. 美國所得稅法對版權和專利的課稅

版稅的美國國內租稅處理

美國聯邦稅法對權利費的課稅的方法取決於授權（license）的方式爲買賣（sales）或版稅（royalty）。

獨家授權（exclusive license）一般視爲版權或專利的買賣（copyright sales or patent），反之，非獨家授權（non-exclusive license）一般被視爲版權或專利的權利金（copyright or patent royalty）。

美國聯邦稅法規定，版稅當做一般收入處理。版權買賣的處理較複雜：作者及其受贈者的版權買賣爲一般收入（ordinary income），最高稅率39.1％，其他人的版權買賣看版權的原來用

途，如果是投資的資產(capital assets)，則版權買賣收入爲資本利得(capital gains, 最高稅率20％)；如果是存貨(inventory)，則版權買賣收入爲一般收入(ordinary income)。

美國公司給總經銷、經銷商的版權，不論是當版稅或買賣，都只能當一般收入處理，因爲美國公司以此爲業(trade or business)。

版權費的國際租稅處理

香港公司對美國公司的版權費處理比較複雜，因爲香港公司是外國公司，且兩家公司是母子公司，跨國母子公司的稅務最複雜，但如果合約擬定適當，其中省稅之機無窮。

三大要素決定外國公司從美國收取的版權費如何課稅：收入種類(買賣或版稅)、收入來源(美國或非美國)、以及是否與美國業務有關。此三要素相關原則如下：

1. 外國公司的美國來源收入，如果與美國業務無關，則要扣繳30％的聯邦稅，加州扣繳7％；

2. 外國公司的美國和非美國來源收入，如果與美國業務有關，則和本地公司一樣，扣除支出後按照累進稅率（15％至39％）課稅；

3. 外國公司的非美國來源收入，如果與美國業務無關，那麼不課稅。

上述國際租稅原則可引用於美國公司從海外進口的版權費

課稅，闡述如下。

外國公司的美國版費收入的認定和美國本地公司一樣。獨家授權（exclusive license）一般被視爲版權買賣（copyright sales）；反之，非獨家授權（non-exclusive license）一般被視爲版稅（copyright royalty）。

收入來源（source of income）決定香港公司向美國公司收取的版權費要不要向美國繳稅。版權買賣和版稅同樣是版權費，也同樣是香港公司向美國公司收取的，爲何會有收入來源的不同呢？

根據美國聯邦稅法，買賣動產（personal property，或譯個人財產），收入來源地以出售者的居住地（seller's residence）爲收入來源。例如，股票、收音機、版權等都是動產，因此，母子公司的合約如果定爲買賣，則以香港公司的所在地爲收入來源地，也就是非美國來源收入。

反之，版稅的收入來源，則以版權的使用地爲收入來源地，因此，母子公司的合約如果定爲版稅，那麼就以美國公司的所在地爲收入來源地，也就是美國來源收入。

另一要素是收入是否「與美國業務有關」。一般而言，除非外國公司在美國有分公司或經常派人到美國促銷，貨品進口美國不會造成「與美國業務有關」。香港公司並未派人在美國促銷，買賣版權應不會變成「與美國業務有關」。

從以上分析可看出，如果母子公司合約定爲「獨家授權」（exclusive license），則視爲動產（版權）的買賣，是非美國來源收入，且與美國業務無關。根據美國國際租稅原則，外國公司的

非美國來源收入，如果與美國業務無關，不必繳稅。

反之，如果母子公司合約定爲「非獨家授權」(non-exclusive license)，則視爲版稅收入，是美國來源收入，且與美國業務無關。根據美國國際租稅原則，外國公司的美國來源收入，如果與美國業務無關，則要扣繳30%的聯邦稅，加州扣繳7%。其稅負計算如下：

香港公司負擔：

聯邦所得稅 $1,000,000×30% = 300,000

加州所得稅 $1,000,000× 7% = 70,000

合計　　　　　　　　　　$370,000

爲避免香港公司負擔高稅，母子公司的版權合約應該用版權買賣(copyright sales)而非版稅(copyright royalty)處理，也就是獨家完全授權(Exclusive license)。

II. 獨家完全授權(Exclusive license)

根據美國版權法(Copyright Law of 1976)，版權的擁有者可取得以下重要的權利：

1. 重製(reproduce)權——影印、錄製等；
2. 轉生(derivative)權——引用、引申等；
3. 行銷(distribution)權——買賣、轉讓、租賃等；

4. 公開表演(perform publicly)權;

5. 公開陳列(display publicly)權。

　　1976年美國版權法規定以上權利可以分割,但版權轉讓不包括非獨家授權(non-exclusive license)。

　　美國稅法對版權轉讓的要求原來非常嚴格,規定版權不可分割,但是因為傳播媒體種類日多,要求版權不可分割已不可能,美國國稅局已較寬鬆,但還是有些限制,分述如下:

1. 媒體分割(fragmentation by medium):美國國稅局已正式通告,版權可因媒體而分割。例如,同一節目,錄影帶和電視版權可分開賣。

2. 地區限制(geographical restriction):根據美國法院對專利權的判例,版權若在不同的國家登記授權,則視為不同的版權;但若在同一個國家,則不可因地區而分割。因此,如果其他項目符合規定,則香港公司授給美國公司美洲的版權和美國公司授給加拿大代理商的版權都可視為版權轉讓。美國公司授權給其他美國代理商的版權都只視為版稅(royalty)。

3. 期限限制(limit on duration):如果授權者有權自行決定版權的期限,則這種授權不能視為買賣,只能視為版稅。如果版權的期限(duration)是因版權生命或不可抗拒因素而終止,則還是可視為買賣。

4. 侵權的控告與辯護(right to defend against or sue for

infringement）：根據版權法，獨家受權人（exclusive licensee）有權以自己名義提出侵權告訴。但根據聯邦所得稅法，保留侵權告訴權並不影響版權買賣。

5. **終止合約權**（right to terminate）：除非因不可抗拒因素（如對方不守約），授權者若有權隨意停止合約，則不能視為買賣。

6. **使用權保留**（retention of right to use）：賣方保留使用權是否會影響買賣，美國法院的意見不一致，所以最好不要保留。

III. 加州銷售與使用稅法對版權費的課稅

關於母帶的銷售與使用稅，如果香港和美國公司的合約訂成non-exclusive，也就是用版稅處理，那麼就不必繳稅。基於所得稅考慮，這種做法不宜，應以母子公司的「公司間」（intercompany）版權轉讓去訂約。

因版權費可以是版權買賣，也可以是版稅，兩者之差直接影響香港公司一年約37萬美元的稅負。所以訂合約時，應把合約改成版權買賣，為避免繳納不必要稅金，應注意版權轉讓的時間，其理由如下：

依據加州稅法細則（Regulation 1529），銷售與使用稅不適用於合格影片的版權費（tax does not apply to amount charged for the right to exploit a qualified motion picture）。電視節目的版權若在

節目首次播出前取得，則是合格影片，否則即被視爲有形動產
（tangible personal property）的影帶買賣，美國公司要繳使用稅。

Regulation 1529同時規定，如果轉讓者在影片播出前取得版
權，播出後再轉讓給關係人（如母子或姊妹公司），則也不必繳
銷售和使用稅。根據以上法則，美國公司及香港公司簽定版權
合約時，應注意以下原則：

1. 香港公司和製作人簽約時，應把世界（至少美加）版權
   轉讓的選擇權（option）列入，並在節目播出前取得美加
   版權。
2. 美國公司和香港公司簽約時，應把美加版權轉讓時間
   定在影片播出前，至於母帶何時錄製並不重要。

根據美國聯邦和加州所得稅，以及加州銷售及使用稅中有
關版權費的課稅條文綜合分析，爲避免香港公司和美國公司多
負擔總數37萬美元的稅負，則母子公司的版權合約應用版權買
賣（copyright sales）而不是用版稅（copyright royalty）處理。

電匯要不要課稅？

　　隨著移民和國際投資日增，不只人在空中飛，錢也在衛星上跑，國際電匯就成為轉錢進出美國最常用的方法。

　　美國是個自由金融的國家，國際電匯並未管制，但2001年的911恐怖事件，整個改變美國人的生活，一個民主開放的社會，成為恐怖主義者做案的溫床，一個開放的金融政策，也可能成為支助恐怖主義者的財務工具。美國人因為生命和財產的安全受到了直接的威脅，開始緊縮移民政策和國際匯兌政策，報載銀行、證券商和其他的金融機構，成為調查國際洗錢的重點，現金存款和國際匯兌都是調查的重點，有多少人會因為財政部和國稅局這個調查而引出稅法的問題，到現在還不知道，但電匯的課稅問題，就不能不注意。

　　電匯款會被課稅嗎？答案是不一定。要看匯款的種類、目的、及匯款和收款人的身分。

　　匯款的種類很多，一般課稅的原則是：自有資金的轉帳不會被課稅，例如，你自己的存款從台灣、香港、或大陸戶頭轉到美國戶頭，不會被課稅。但是，如果你匯的自有資金當中，有未曾報稅的收入，可能要扣稅。例如，你已拿到綠卡或公民

權多年，但你一直未處理原居地的財產，而你的股票有增值，房子也漲價，一旦處理這些財產，就有資本利得（capital gain），那麼，你匯的款項裏面，成本部分不課稅，但收入部分就要課稅。另一個例子是拿到綠卡多年，但銀行利息未報，這利息部分也要小心。

匯款人和收款人的身分也很重要。如果匯款人是美國稅法上的「外國人」，匯款贈與美國親友，就不必繳稅，但如果匯款人有綠卡，則贈與超過一萬美元就要報稅，甚至繳稅。但站在收款人的立場，如收到個人贈與超過10萬美元，或收到法人贈與一年超過一萬元，就要申報。台灣因為資金外流嚴重，新法也規定，如果匯款人和收款人不同，則銀行需向台灣國稅局申報，除非能證明是非贈與，否則要繳贈與稅。

匯款的目的也決定匯進美國的款項要不要課稅，如果匯款的目的是借款或還錢，那麼不必報稅，可是以後利息就要報稅。根據美國稅法，借款若不付利息，則把利息當出借人的收入和對借款人的贈與，這叫做constructive interest。一般借款都須要有借據。其他如匯錢到美國投資，本金也不必課稅。

匯款全部須要報稅的，是公民、居民的海外利息收入、個人薪資、服務、退休金等收入，要在賺得收入的當年申報，不是等匯到美國才報稅。

電匯款透過銀行轉帳，所以都是有記錄的。美國國稅局查帳，第一個查的是銀行對帳單和收據，所以匯款也不能不小心。不過，因為匯款有紀錄，比較容易解釋來源。

同樣一筆匯款，同樣的人匯給你，但如何決定匯款的目的，

全要看雙方的意願，也就是靠自由心證。有一次一個讀者打電話問我匯款要不要課稅，我問了他一些細節，他就把我當國稅局官員，告訴我的匯款目的變了幾次，一下子說贈與，一下子說是借款，一下子又說是他的銀行轉帳，我告訴他，如果國稅局查帳，他這樣回答，可能會變成惡意逃稅，而遭到刑事罪的處罰。

匯款單上一般要填寫匯款目的。因為匯款目的影響稅負，所以填寫時要小心。最好把一份匯款單的影本交給在美國的親友，以免查帳時答得牛頭不對馬嘴。

匯款種類與課稅方式

匯款人 海外匯款種類*	美國人	外國人
薪資收入	課稅	不課稅
利息收入	課稅	不課稅
資本利得	課稅	不課稅
付貸款利息	不課稅	不課稅 （收款人當收入）
投資	不課稅	不課稅
還款(本金)	不課稅	不課稅
贈與	超過1萬元，課稅 （有終生免稅額）	不課稅 （收款人超過10萬元要申報）

　　何時匯款對稅率有影響。關鍵在報稅年度，例如贈與稅法規定外國人贈與美國人一年超過$100,000以上就要申報。但你如果在12月31日匯$90,000，1月1日再匯$98,000，也可以不必申報。

　　至於要不要在移民前匯款進入美國，要看匯款的目的而定。除了贈與受影響外，其他匯款都是在「賺得」時就要報稅，與匯款時間無關。

遺產贈與篇

遺產、贈與和隔代移轉稅法

　　美國總統布希遵守了他的競選諾言，廢除了遺產稅，但只有一年——2010年，因為日落條款，2011年起，如果國會不採取行動，整個新法律都失效，又將回到都2001年的舊法來。

　　新的遺產、贈與、和隔代移轉稅法既複雜，爭議最多，又有太多的變數，不論對繼承人或遺產管理人都是大挑戰，對想做遺產規劃的人，也是非常的困難。遺產稅的規劃，本來就包含範圍甚廣，工具也很多，如信託、保險、生前贈與等，法律既多又複雜，不是短短一篇文章可以說清楚的，本文只是做個簡介，將來有機會用專書討論。

　　新法主要是年年提高遺產稅的免稅額，從2001年的67.5萬美元，到2002年的100萬美元，一直到2009年的300萬美元，2010年完全免遺產稅，但因為日落條款，2011年又可能回到100萬美元。有人開玩笑，說醫院和家屬要不要拔掉垂危病人的維生器，不是要看黃曆，應該看稅法的法條，看死在哪一年所得和遺產稅加起來最少。

　　美國聯邦的遺產、贈與、和隔代移轉稅（Estate, gift, and Generation Skipping Transfer Tax）原來是三位一體的。遺產稅是父，贈與稅是子，而隔代遺贈稅是孫，三者血脈相通，又各為一體。遺

產與贈與稅原使用統一累進稅率(18%～55%)，並有統一的扣抵額(Unified Credit)。隔代遺贈稅則是用其最高稅率55%，2001年並有106萬美元的扣除額。其不同之處是遺產稅是去世以後給，贈與是生前給，隔代移轉稅是不傳子、但傳孫時，在遺產稅外另加的稅，三稅都是對移轉的行為課稅，由「送」的人報稅和繳稅，當然，如果送的人不繳稅，國稅局也可以找「收」的人要稅。

遺產與贈與稅的的統一扣抵額，在1997年以前是$198,200美元，相當於60萬美元的遺產免稅，這60萬美元稱為「遺產相當免稅額」(Estate Tax Applicable Exclusion Amount)。從1998年之後，相當免稅額逐年提高，2001年提高到$675,000，換算成統一扣抵額就是$220,550。相當免稅額原定2006年才提高到100萬美元。但2001年新稅法，把這三位一體的關係打破了，贈與稅將保留，它的免稅額從2002年起將停留在100萬美元，但遺產稅的免稅額將逐年提高到2009年的350萬美元，並於2010年同時廢除遺產和隔代移轉稅。相當免稅額提高和稅率降低的年度如下：

年度	最高遺產稅率	相當免稅額
2001	55%(+5%)	$67.5萬
2002	50%	$100萬
2003	49%	$100萬
2004	48%	$150萬
2005	47%	$150萬
2006	46%	$200萬
2007	45%	$200萬
2008	45%	$200萬
2009	45%	$350萬
2010	repealed	N/A
2011	55%	$100萬

隔代移轉稅(Generation-Skipping Transfer Tax)其稅率還是以遺產稅的最高稅率計算。也隨遺產稅在2010年廢除。

贈與稅

「贈與」分為「直接贈與」和「間接贈與」，「間接贈與」的例子有：將錢放在信託中，並指明兒子過世後由孫子來繼承；或當別人欠的錢可以不必償還時，這筆錢就成為間接贈與。

在聯邦的「贈與」稅法中，並未對「贈與」下定義。一般的認定方式是按照國稅局的解釋，以及法院的判例。基本而言，無償把財產給與別人時，就算是贈與。例如：

- 自己出錢和非配偶買共有的財產，是贈與，但夫婦不算。
- 自己出錢和人開共同銀行帳戶不算贈與，只有在未出錢的人提領時，才算贈與。
- 當借貸他人不收或少收利息時，不收或少收的利息部份亦成為贈與。
- 捐款給慈善機關算贈與，
- 捐款給政黨不算贈與。

許多非美國人匯錢給美國親友不申報，在美國國稅局查帳時，你若說這筆錢是借款，但免付利息，則要以市場利率計算利息，扣繳利息稅30％，並把免付的利息算贈與，計算贈與稅。如此兩稅並課，損失慘重。若說是贈與，則外國人贈與美國人外國財產可以免稅。外國人只有贈與在美國的房地產和有形的個人財

產才要繳贈與稅，無形財產不必繳贈與稅。不過有棄國稅法規定，爲逃稅而放棄公民權或綠卡的人，10年之內贈與無形財產還是要繳稅。

因爲海外贈與這個說辭實在是太好用了，它既能使受贈人免所得稅，贈與人又不必繳贈與稅，美國國稅局說服國會立法，規定美國人接受外國個人的海外贈與一年（曆年制）超過10萬美元，或外國法人贈與超過1萬美元，必須年年申報，否則當查出來時，要罰每月5%的罰款，最高可罰25%。

贈與完成的時間也很重要，如果贈與後還控制財產的管理權和轉讓權，或是還保留使用權，那麼贈與就未完成，不必繳贈與稅，但是要繳遺產稅。這原是用來避免逃稅的法條，後來卻因爲信託的所得稅改得比一般個人所得稅還重，很多人用這漏洞去設立信託，也就是把信託寫得合於州的民法產權轉移規定，但稅法認定贈與未完成，信託的收入還是由贈與人報稅繳稅，如此即可減少信託的所得稅。

有些贈與是要課稅的，有些不必。應課稅贈與就是總贈與（Gross Gifts）減去免稅贈與（Exclusion），再減去可抵減額（Allowable Deductions）。

你若替人家付教育費或醫療費，就是你給人的教育或醫療費贈與，是無限制免稅的，但你必須要直接給付到教育或醫療單位，不要先轉給受贈人再給付，你的贈與才可以免稅。替親人存款到預付學費和預存學費計畫不能免贈與稅，但可以用下面的每年一萬美元的免稅額。

應課稅贈與（Taxable Gift）不包括一年一萬美元的贈與免

稅。一年贈與一萬美元是以受贈者來算，所以對象不限一人。因此，若一對夫婦每年給四個小孩各一萬美元，則一年可有八萬美元贈與免稅。如果你高興，也可以站在街頭，每個人發一萬美元，把你的500萬美元財產分光，你也不必申報和繳遺產稅。這一萬美元不列入終身贈與免稅額當中。1998年之後一萬美元也隨物價指數調整，2001年和2002年都還是一萬美元。

美國公民夫婦互贈，可以享受100％的婚姻減免（Marital Deduction），也就是夫妻互贈完全免稅。但若受贈的配偶非美國公民，則夫妻間贈與在2001年只有10萬6000美元免稅。無法享有完全免稅的好處。大體而言，當受贈者是美國公民時，贈與者不論其身分是公民，居民或外國人，可享有100％免稅，當受贈者不是美國公民時，只有一年10萬元免稅額。

慈善捐款免贈與稅。

配偶可以分享贈與（Gift Split），也就是用一方的財產贈與他人時，可以用兩人的名義去贈與。例如，妻子想用自己的私房錢贈與兩萬元給孩子，可以將贈與當成夫妻各贈一萬元，而享兩萬元免稅的好處。聯合財產（Community Property）一般認為是夫婦一半一半，贈與也是一半一半，若非聯合財產，則需合於以下條件才能分享贈與：

- 夫妻要都是公民或居民
- 夫妻都要簽字同意平分贈與
- 夫妻在贈與時還維持結婚關係，若離婚，在年底時還未再婚。

　　贈與的價值是以當時的市價為準。例如股票贈與，則以贈與當天的上市股價為準。1998年新稅法清楚地說明，贈與稅申報和查核確定後，國稅局不能再要求重新估價，如此可以保護納稅人。

　　贈與稅的算法，是把一生中第一筆超過一萬美元的贈與，扣除免稅贈與和減稅額，就是應課稅贈與，乘上稅率，就是毛贈與稅，再減去統一扣抵額，如果多於$0，那麼多出來的部分繳稅，如果少於$0，那麼就不必繳稅。第二年的應課稅贈與再和前一年度的應課稅贈與加起來，乘上稅率，再減除統一扣抵額以前已繳的贈與稅，若有餘額則繳稅繳稅，沒餘額則不必繳。如此每年循環累計計稅，一直加到最後算遺產稅為止。因為統一扣除額不易了解，所以這兩年立法都用「相當免稅額」（Applicable Exclusion Amount），在稅表上再把相當免稅額下換算成統一扣抵額。

　　贈與稅的最高稅率和遺產稅最高稅率同步遞減，但不廢除。2010年遺產稅廢除時，贈與稅最高稅率降至所得稅最高稅率，也就是35％。因為依照贈與稅的稅級，$500,000的贈與就已在35％稅率，而美國人贈與稅的免稅額是100萬美元，所以對美國人而言，贈與稅率可以說就是35％。外國人的贈與沒有免稅額，所以稅率2010年起是從18％累進到35％。

　　一個人贈與其他人超過一萬美元以上就要申報贈與稅表，美國人用706和706A表，外國人用706NR表。

遺產稅

　　在遺產稅的計算方面，如果納稅人是美國公民或居民，則全

世界的遺產都將列入遺產毛額（Gross Estate）。計算方式亦以市價為主，即以當事人過世當天或六個月後的市價來計算。

遺產毛額亦可扣去支出，例如：慈善捐款、配偶繼承、遺產管理費用及其他抵稅項目。加上1976年之後所有應課稅的贈與，算出應課稅遺產，乘以稅率，再將以前已納的贈與稅扣去，扣去統一抵扣額後，即可算出遺產稅。對居民與公民而言，州的遺產稅和外國的遺產稅原來亦可扣抵，以避免重複課稅。但2002年起，州的遺產稅慢慢不能減聯邦遺產稅，2002年，25％不能減稅；2003年，50％；2004年，75％；2005年，全部不能減稅。

另外，在過世三年前的贈與，將被視爲是遺產。繼承人若想放棄繼承，可以在遺贈發生後九個月內放棄繼承。

隔代遺贈稅

把財產轉給兒女要課稅，那麼跳過兒女，傳給孫子孫女不是可以省一道遺產稅呢？ 還是逃不掉的。這就是「隔代轉移稅」。隔代轉移稅是在遺產和贈與之外加上去的稅。指的是不傳子女，但傳孫或曾孫的移轉稅。這類贈與有三種情況：(1)直接贈與孫。(2)設立信託給子女，但註明當子女不能繼承，則由孫繼承。(3)放在信託中分配。

因爲隔代遺贈稅是針對利用隔代遺贈來逃稅而立的法，所以若中間的一代都已過世而無人繼承，那麼傳孫的隔代遺贈是按照傳子的方式課稅，不課隔代遺贈稅。

隔代遺贈一年有一萬美元免稅額，加上醫療，教育，慈善的免稅，以及一生較高的免稅額。1998「一生免稅額」是100萬美

元，1998年之後會隨物價指數再調整。2001年還是100萬美元。

隔代遺贈稅率是採用遺產稅的最高稅率（請見遺產稅率表），而稅表的填寫人應由遺產管理人，或信託管理人來申報。

外國人的遺贈稅

對非居民的外國人（Non-resident Alien）而言，只有在美國的財產才須繳遺產贈與稅。在贈與稅方面，有形實物（real, tangible property）在美國贈與要課稅，稅率與公民相同。有形實物可以是房地產，車子等等。而無形資產（intangible property）的贈與則不課稅，非實體物包括：股票，債券，借條，合夥資產，信託資產等。但在遺產方面，則外國人在有形無形的遺產轉移上，都必須課稅。

另外，對外國人的統一扣除額一生只有1萬3000美元，相當於6萬美元的遺產免稅。這個免稅額已用了幾十年，雖然美國人的免稅額一直提高，但外國人的免稅額一直未改，這是非常不公平的。統一扣除額不適用於贈與，計算贈與稅時不可拿來抵稅。

遺產贈與的稅務規劃

由於「遺產稅」與「贈與稅」的稅法非常複雜，對於有心移民或投資的人，仔細規劃是非常重要的。例如，當你以外國人的身分來美國買股票，則股票會成為遺產稅課稅的對象。但若以外國成立的公司名義來投資美國公司的股票，則因公司不死，所以可以免美國遺產稅。但是，投資人的本國稅法要注意，例如，台灣營利事業所得稅法，在世界各地的收入都是課稅的範圍，又有

所得稅的報稅義務。因此，在選擇投資方式時，審慎的規劃可以避免高稅又安全。

廢除成本爬升

遺產稅廢除後，死亡變成所得稅的問題。

美國所得稅法原來規定，被繼承人過世時，他的所有資產的成本都以過世那天的市價為成本，這就是成本爬升（Step-up Basis）法。如果市價下跌，那就變成爬降（Step-down Basis）法了。如果遺產管理人在被繼承人過世第二天把他的所有資產賣掉，則市價等於成本，一毛未賺，當然一毛錢所得稅都不必繳。

這個法律已被新法破除，新法規定自2010年廢除遺產稅起，遺產的所得稅移轉成本，將和贈與一樣，也轉給繼承人，也就是所謂的Carryover Basis，意思就是繼承人賣繼承的財產，賺錢時要用被繼承人的成本來計算盈虧，賠錢時以轉讓當天的市價當成本。這個法律曾在1976年試用過，結果非常糟糕，因為要生者找出他的財產的買價都很困難，要找死者的財產成本更困難，如果是三代祖傳的房地產，要如何找買價？所以1977年開始就用目前的成本爬升（Step-up Basis）法。現在再回去用這法律，準是一團糟。為了你的後代著想，最好平時把資料整理好，也讓自己的家人知道重要文件在哪裡。

很多人原來不必繳遺產稅，但可以利用成本爬升（Step-up Basis）法免所得稅，新法將讓很多人因為失去成本爬升（Step-up Basis）法而增加所得稅負擔。為了避免這問題，新法規定可以採行兩個法定例外，可以提高遺產轉移成本：

‧不論繼承人是誰，每名美國被繼承人有130萬美元的財產可以用成本爬升(Step-up Basis)法，把成本提高到市價。如果生前有一些未用完的資本虧損(Capital Losses)、淨營業虧損(Net Operating Losses)、和Built-in Losses，那麼可以再加上去。外國被繼承人只有6萬美元。

‧如果繼承人是公民配偶，每名配偶所繼承的財產有300萬美元可以用成本爬升(Step-up Basis)法。非公民配偶繼承人則沒有這優惠。

不是所有的財產都可以成本爬升。被繼承人過世前三年從非配偶贈與得到的財產、被繼承人的生前收入、外國的個人控股公司(Foreign personal holding company)的股票、本國的國際銷售公司(domestic foreign sales corporation)，外國投資公司(foreign investment company)或外國非積極性投資公司(foreign passive investment company)的股票等都不可用成本爬升法。

在這法律下，誰繼承何種財產就變得非常重要，一般而言，漲價多的財產應該給公民配偶，其次是收入少的親人。

外國贈與也要申報

　　美國和台灣一樣，留遺產給人的必須繳遺產稅。送禮給人的人要繳贈與稅，收到好處的人反而不必繳稅。如果一個台灣人送禮給美國公民或居民，除非贈送的是在美國的不動產和有形的動產財產，否則美國政府無權課贈與稅。

　　美國稅法規定，贈與稅的免稅額一年只有一萬美元，超過部份依照遺產稅率（18%～55%）累進。同時，美國公民和居民的「世界贈與」（在世界各地贈與）和外國人的「在美贈與」超過一萬美元以上是年年累積、併入遺產稅計算的。外國人贈與沒有免稅額，但美國人贈與有免稅額，2001年是$675,000，2002年以後是100萬美元。遺產的免稅額則年年增至2009年的350萬美元，並於2010年廢除。

　　對外國人而言，財產的所在地的認定非常重要。如果財產不在美國，或是無形的資產，而且多於贈與的免稅額，則要把財產給子女，最好在拿綠卡以前辦贈與，如此可以免稅。否則等拿到綠卡再來辦贈與，就可能被美國政府課稅。反之，如果財產是美國的不動產和有形的動產，那麼應該轉換成無形資產，把財產移轉海外，或留到拿綠卡以後再贈與，因為外國人的美國有形資產

贈與超過一萬美元以上就要被課贈與稅,沒有免稅額,但美國人有免稅額。

以往,美國人(含永久居民)收到外國人遺留和贈與的無形資產和在外國的資產,可以不報稅也不必繳稅,但1996年國會通過新稅法,規定一年收到外國人遺留和贈與的無形資產和在外國的資產累計超過一萬元以上,就要向財政部申報,但還是不必繳稅。

美國國稅局可能覺得國會訂的這個法律太過嚴苛,所以把遺贈稅的申報底線提高。規定一年內美國人收到外國個人贈與和遺產全部超過10萬美元,或收到外國法人贈與超過一萬美元就要申報。如果不報,那罰款將是每月未報或漏報金額的5%,一直到25%為止。

申報時,要在個人所得稅表上加附3520表。如此當個人所得稅表申請延期,3520表也可跟著延期。

對於海外法人(公司或合夥企業)給你的贈與,申報要很小心,尤其,受贈者如果是贈與者的股東或合夥人時,更要小心。因為國外公司匯進的錢,雖是個人過去的錢,但若已投資到公司,分配時會有各種稅務情況:分配的錢可能被視為是薪資,股息分紅,借款還款,本金退回等,這些分配有的是收入,有的是免稅的股本退回等。

一般而言,用公司「贈與」股東是非常牽強的,國稅局不會相信,申報FORM 3520對你非常不利。FORM 3520是用來申報所獲得的外國贈與、遺產、和信託金分配的,不是用來申報其他收入或公司對股東的分配,而且FORM 3520是訊息申報information return，是美國國稅局用來看個人是否「洗錢」用的，不是用來計算贈與或遺產稅的。遺產和贈與稅表示由被繼承人和贈與人申報，不是由收禮的人申報的。

這條法律看似簡單，其實學問很大。因為以往外國的「有錢舅舅」（rich uncle）是逃稅的一大護法，法力無邊。很多人在美國賺錢不繳稅，國稅局一查稅，就推說是有錢舅舅（海外親戚）送的。現在美國規定要申報外國贈與，加上台灣也有贈與稅法，兩邊都規定要申報，如果兩邊一對，假「舅舅」不只破功，弄不好，台灣，大陸或香港的稅務單位一查，變成泥菩薩過江，連假舅舅也自身難保了。

租稅實務篇

你的稅金在運作？

新移民到美國來，最不甘心的就是繳重稅，有些新移民在母國由稅務官告訴你應該繳多少稅，有時塞個紅包就免繳稅，來到美國總是不了解老美為什麼那麼乖，每年4月15日舉國發燒，郵局24小時有人排隊寄稅表。

美國行的是「自行計稅」（self-assessment）制度。人民雖自由，但一般美國人會乖乖報稅繳稅，這有幾個原因，除了漏稅重罰，法外不施恩外，第一個是人民有「向政府買服務」的觀念。

有一天我和舊金山灣區朋友在高速公路上開車，高速公路正在整修，路邊立了一個招牌，上面寫著「你的稅金在運作」（Your tax money at work）。這位朋友馬上說：「每次在高速公路上開車，就覺得繳稅繳得甘心，因為這些稅金被用來建築平穩舒暢的高速公路。」

在美國，連童子軍都被灌輸花錢買服務的觀念；學童參加童子軍時，被教育的概念就是民主，法治，以及花錢買政府服務的契約觀念。童子軍也受教導，知道政府每年在公立學校一個學童身上花幾千美元，而這些教育投資是來自納稅人的錢，

他們才能夠享受好品質的教育資源和課外活動。守法的習慣，花錢買服務，以共享政府設施的概念，是一般美國人守法繳稅的原因。

我有一位客戶，是一對來美超過20年的華人夫妻，他一年賺30幾萬美金，每年光繳稅就繳了十幾萬美元。別人問他們怎麼捨得，他們說繳稅之後換來好的生活環境，乾淨的街道、空氣、和好的都市計畫，這些稅金在他們看來其實是非常值得的。

而「你的稅金在運作」的口號相當值得台灣，香港及大陸當局學習。施工地點樹立這個告示性的口號，第一向百姓徵信，表示稅金沒有白繳，正被用來闢建舒適的高速公路。它也可以減少百姓對施工不便的抱怨。最重要的是它讓百姓親身體會繳稅的成果，建立向政府買服務的觀念。

除了這口號外，美國政府每年在稅表的說明中，也會用圖表畫出國家預算的收支分配，讓百姓瞭解政府的稅收是從那裡來的，自己繳的的稅是怎樣被政府用掉的。這也是顯示「你的稅金在運作」的方法。

大陸現在正在大做公共工程，支出非常多。台灣在實施全民健保和老人年金後，政府的公共支出越來越多，財政負擔越來越重，赤字也越來越高。這些享受，到最後的負擔者都是納稅人。如果納稅人了解他們繳的稅金如何運作，繳稅會繳得較甘心，對政府的要求也會比較合理。

我們的稅金在運作嗎？在那裡運作？怎樣運作？運作到那裡去了？納稅人應該問問政府。

人頭與稅

　　作者執業多年來，發現很多新移民都有孫悟空的本事，不只在美國有各種生存之道，在稅法上也可以七十二變，找出各種辦法來逃稅。人頭就是其中的一種。

　　作者在美台兩地報紙雜誌發表有關省稅的文章之後，經常接到很多讀者的反應，讓我感到意外。譬如當我發表有關外國戶頭可以省稅的文章以後，不少人開始想辦法要用外國人頭來開戶。有人想找在海外的家人，有人想找朋友的名義去存款。如此一來，拙文是以省稅為出發點的，卻變成許多人自行設計逃稅的根據。

　　基本上，以人頭來存款衍生的問題很多，我也不斷建議客戶不要用人頭。除非是有不得已的情況，例如，夫妻之間因為關係不和，一方不想讓財產和對方合併，可能會選擇用人頭的方式。但即使如此，法律上還是有其他的解決辦法，例如登記夫妻分別財產制。

人頭告人與被告皆輸：合法化才有保障

　　通常，要證明自己是人頭非常困難，而且經常敗訴。但當

被告發是人頭的時候，做人頭的人又通常會輸。以台灣公司到美國投資做例子，早期因為台灣稅法對營利事業課徵全世界收入，但對個人卻不課國外來源收入，許多台灣公司以股東的私人名義到美國來投資。這樣一來公司可免申報世界收入，也就是在美國的收入不必向政府繳稅。近來大陸對外投資增加，但因為各種檯面上檯面下的理由，很多人也用人頭到美國投資。

人頭(record owner)在美國是合法的，但要經過一個正式登記的程序。例如：發行股票時向州政府登記，或買房子向市政府登記，說明財產在名義上與實際上分屬不同的人。在商業法上，這就是名義所有人(record owner)和實權所有人(beneficial owner；或譯：受益所有人)的登記程序。以公司股東來說，就是名義股東和實權股東的登記。名義所有人就是人頭。

實權股東依法擁有股東的權益，同時也必須負擔股東的責任義務。不會因為有名義股東的存在而免於這些責任。名義股東並不擁有權利。美國法治的基礎在於提出有力的証明。人頭的合法化是保護自身權益的關鍵。

人頭與受益人的權利與義務

從稅法的角度來說，實權所有人有付稅的義務，也在法律上受到保護，不會因為人頭的存在，而在法律上減少或增加權利和義務。舉買賣房子為例，當甲將自己買的房子以乙的名義登記，房貸利息(mortgage interest)還是要由甲來抵稅。若乙把甲繳付給銀行的房貸利息，用來做抵稅用途，這是違法的。

人頭和實權所有人雙方如果有默契，可能不會出問題。困

難是在歸還財產的時候，就出現贈與或財產增值稅的問題。如果乙在將房子歸還甲時，聲稱多年來財產是甲方的，他只是人頭，如此也許可避免財產移轉稅、增值稅、或贈與稅等。但反過來說，多年來乙不是房屋所有人，卻不斷拿房貸利息來減免稅負，如果還聲稱自己是人頭，那麼他過去就是逃稅。這時就形成兩邊為難的局面。

如果當初房子過戶時沒有去做實權所有人登記，而私下雙方以信任為基礎成為人頭，有時會有意想不到的狀況。例如，在人頭過世後，人頭的親屬堅持這棟房子是人頭的遺產，有權來分遺產，即使甲官司打贏了，甲確實擁有這棟房子，也要因用人頭逃稅犯法而被罰巨款，甚至因惡意逃稅而受刑事審判。

另一個用人頭的問題是股票投資，外國人的美國公司股票紅利要課30％的稅，但資本利得免稅，當股價上漲時，當外國人有利，但當股票下跌時，外國人的資本利得也不能抵稅。2000和2001年股票大跌，尤其科技股跌了70％到80％，美國人可以一輩子用這些虧損，如果用了人頭，那就失去了利用這些虧損的機會了。

利用人頭的常見問題

前面所述，當有人想要以外國親戚的名義存款美國，以達到免稅的目的時，若先將自己銀行的存款轉給親戚，再以親戚之名存款美國。這裏出現兩個問題：人頭、以及贈與。如果轉帳是贈與，則若超過一萬美金，可能要繳贈與稅，若這位人頭再把錢還給他，就又要再繳一次贈與稅。再來，如果人頭不還

錢，你利用人頭逃稅，要不要上法院去告？

以房屋爲例，很多人用「快速過戶」（quick deed)的方式，就將房子過戶給親人。從地價稅或土地稅的觀點來看，這樣的過程是免稅的，但只要無償把財產給人，就有贈與稅的問題。若是綠卡持有者將房子過戶給外國親戚，因爲一生有67萬5000美元的免稅額（2002年後的免稅額大幅提高，見2001年新稅法解析），可能沒有贈與稅的問題。但將來這位外國親戚要還給你的時候，外國人的贈與沒有免稅額，這時就有贈與稅的問題。以美國東西兩岸幾個華人聚集的大都市爲例，一棟房子少說也有三、四十萬美元以上，如果扣起贈與稅來，數額不得了。如果這位親戚用買賣方式拿回房子，那又得繳增值稅。

所以很多人以爲人頭可以省遺產和贈與稅，實際上在給的過程中，已經有稅務牽涉在其中。美國遺產和贈與稅是合併的，每人一生只有67萬5000美元的免稅額（2002年後的免稅額大幅提高，見本書附錄〈2001年新稅法解析〉）。每次贈與超過一萬元的部分，就會被列入一生贈與的額度計算當中。並沒有達到省稅的目的。

有些父母將房子過戶給孩子之後，自己一邊付分期付款，一邊又將貸款利息拿來抵稅，問題於是變得非常複雜，因爲若自己在房契上沒有名字，則替子女付分期付款是贈與，把非自己擁有的房子貸款利息拿來抵稅是逃稅。

有華人來美後靠銀行存款和利息過日子，她的利息收入一年也只有一萬出頭。扶養兩個小孩根本課不到稅，但因爲聽說外國戶頭免稅，她冒用別人護照去存款，年年都沒報利息收入。

結果申請公民，移民局不准。因為她沒有存款和利息收入的紀錄，不能證明自己有足夠收入和資產能在美國獨立自主。

另外一些常見的問題有：用人頭領薪資，設立公司等等。例如，台灣的公司法限定一家公司要有三人到五人以上的規定，許多人不願意與人合夥，於是採用人頭的方式經營。這固然有不得已的苦衷，但有的公司以人頭名義在美國投資，兩三年後發現人頭在美國經營久了，自由操作又有法律保障的情況下，公司幾乎變成人頭自己的產業，台灣的公司用盡辦法，才逼人頭把美國公司交還，並向法院登記自己是受益人的身分。登記之後，受益人是實際擁有者，可享權利，要盡義務，其中包括納稅的義務。若這家公司不清楚狀況，仍由人頭名義來處理稅務，變成違法漏稅。另一個案例是一個大陸投資者，委託他人在美國投資，最後人頭把整個投資吃下，大陸投資者到美國後，發現自己一無所有，一狀告上了法院，他提出所有的匯款證明，才把公司要了回來。

老人與遺產

人頭問題也可能演變成傷感的故事，以老年移民為例。老年移民到美國來買醫療保險很困難，尤其到年老才買保險，保費很高，若老人手上握有財產，如銀行存款超過$2,000，就不能享受美國的社會福利，所以很多老年人在移民前或移民後，把財產都轉給子女，或將錢放在他人的名下。這樣一來，自己失去了控制財產的權力，若養了不孝子，或變成到「媳婦家」去寄居，失去了控制自己財產的權利，這種心情對老人是很不好

的，有些老人一氣離家，竟成為真正的孤苦無依的老人，需要靠美國政府來養。

美國是法治的國家，一旦發生事情，是依法論法的，所以在美國住久的人，一般都不願替人家當人頭，以免違法。很多新到的移民，或台灣、香港、和大陸的親人不了解，以為美國的人情薄如紙，一點小忙都不肯幫，其實美國的親人是有口難言，處理人頭問題要當心。

藏錢免稅的護身符

——外籍證明書

2001年，美國發生911事件，世界金融中心紐約世貿大樓被恐怖份子挾持飛機當飛彈炸燬，美國的證券和金融業損失不小，但因美國的經濟底子雄厚，所以還是穩了下來，但是，那些在亞洲政治不穩和發生金融風暴時，湧入美國以避風險的錢，是否還留在美國呢？美國還是不是避風港呢，這已成為很有趣的問題。

外國人存款美國銀行或投資金融機構，除了避風險外，更加有藏錢和省稅的好處。然而要達到這些目的，第一件事就是要拿到護身符——「外籍證明書」（FORM W8－Certificate of Foreign Status），也就是填寫W-8表交給銀行，證券經紀商或保險公司。

為什麼W-8表是藏錢免稅的護身符呢？

1. 填寫W-8表後，銀行不必向美國國稅局申報你的收入，美國國稅局沒有你的稅號，也沒有資產和所得資

料（但財政部有金檢制，也別太大意）。

2. 存款利息免所得稅，本利都免遺產稅。

3. 銀行不必扣繳你的利息所得，你也不必向美國政府報
   稅。

如果你未填寫W-8表或W-8表過期（有效期間為三年），那麼
銀行會扣繳31％聯邦所得稅，你必須去申請退稅。如果你以前
沒有填寫過這個表，應向銀行、美國在台協會或上國稅局網站
www.irs.gov下載。如果你已填寫過，請拿出來看看是否過期，
趕快補一份給銀行。

前面所提的好處只有「免稅外國人」（Exempt foreign person）
才能享受。「免稅外國人」包括：非居民非公民，外國的公司、
合夥事業、遺產和信託：

1. 個人不曾或不準備在一年內於美國停留超過183天者。

2. 外國人不在美國從事各項行業者。

W-8表不只用於銀行存款而已，投資股票，債券及保險等，
都要填寫W-8表。一般而言，外國人的銀行存款或債券利息免
稅，股票買賣的資本利得免稅，但股息（紅利）則要扣繳30％的
稅額。然而，若是與美國有租稅協定之合約國，稅率則更低，
只在10％～15％。台灣及香港並無租稅協定，中華人民共和國
有此協定，故只扣繳10％。

國稅局的權力有多大？

　　西遊記中的唐三藏其實頗昏庸無能，但因有如來佛的緊箍咒而能控制能力高超的孫悟空。在美國人的心目中，美國國稅局就如唐三藏一般，他們對它又恨又怕，但因為如來佛（Uncle Sam）已在美國人頭上放了緊箍札，也已將緊箍咒交給國稅局，美國人民所以多半在每年4月15日乖乖的報稅、繳稅。

　　1998年美國國會對國稅局做調查聽證後，並立法全面改革國稅局。聽證會中，舉國報稅的受害人談如何因為國稅局「懷疑」他們漏稅或洗錢，而荷槍實彈地抄家，抄公司，甚至只因不小心弄錯數字欠了五、六千元的稅，卻讓國稅局發佈新聞，在報上大做文章，而讓一些名人身敗名裂，丟了工作。美國國稅局長在聽證後，馬上出來說話，答應要改革美國國稅局。

　　在1998年5月1日聽證會之後，國稅局長已當眾保證改革國稅局的決心，其中包括：改善服務品質，進行濫權調查，重組新部門等，改變成為以 客戶為導向的管理方式。但他也承認，要將國稅局轉變成服務良好的機構需要按步就班地改革，費時經年。

　　美國國稅局有哪些權力呢？哪些是國稅局注意的地方？如

何避免國稅局查稅呢？

在1998年以前，美國國稅局的權力是很大的，他們可以查稅，可以做刑事調查，可以封你的房子，可以抄你的公司，把你送法院，而最大的權力是可以假定你是有罪的，而要你自己去舉證證明自己無罪。這和一般法院查案假定你無罪，再舉證說明你有罪的辦案方式是大不相同的。這種查稅方式，常使納稅人因為舉證能力的限制，而被罰重罪。例如，不能去問第三者要單據而舉白旗投降。

美國人從小就接受「繳稅買服務」的觀念，因此繳稅繳得比較甘心；但怕國稅局查稅才是美國租稅制度能生存的原因，如果沒有一個「怕」字，美國租稅制度會整個垮下來。

即使權力很大，經過不少美國人抗議被「虐待」後，現在美國國會已立法對國稅局做大事改革。國稅局的改組歷經兩年，於2000年中完成。國稅局這兩三年來因為內部改組，士氣也在國會立法聽證後大大降低，加上這幾年國庫充盈，稅收壓力不大，所以查稅很少，但今年開始已再檢討，並招收新的查稅員，納稅人也開始接到較多的查稅通知。

改革法案

1998年稅法中最重要的是國稅局的改革。國會說要把國稅局的角色改變，從一般酷吏角色變成報稅的助手，從以收稅為目的，到以幫助百姓遵守稅法為重。雖然國會這樣說，但收稅還是國稅局的主要功能，沒有嚇嚇人，老百姓不會乖乖的繳稅，所以你如果期望國稅局從閻羅王變彌勒佛，那麼你的期望就太

高了。不過，至少國稅局的人表面看起來會較慈眉善目一點。
新法中的改革很多，重要條文包括：

1. 國稅局從原來的按地區分部門改成按納稅人種類分部
   門。分成個人、小生意、大生意、和免稅機構四部門。
   遺產和贈與稅由小生意部門負責。這種分類可以使國
   稅局的查帳員更專業些。
2. 任命九人監督小組。
3. 國稅局長（Commissioner）任期五年，可連任一次，以
   避免兩黨政治干預。
4. 成立納稅人支持者（taxpayer advocate）機構，獨立於國
   稅局，替納稅人講話。
5. 鼓吹電子報稅，要求在2002年，所有電腦稅表要用電
   子報稅，2008年80%的稅表要電子報稅（一個不易達到
   的目標）。
6. 以往上法院和國稅局打官司時，國稅局可以隨便找個
   理由說你違法，納稅人要負責舉證來反駁，很多冤情
   都因此而來。新法規定如果納稅人有理（單據齊全，也
   和國稅局合作，財產淨值七百萬美元以下），那麼，舉
   證責任轉到國稅局。除非有合理的證據顯示逃稅，否
   則國稅局也不能用「財務情況」（financial status）來查
   稅。也就是憑你開什麼車，住什麼房子來查稅。
7. 國稅局和納稅人互欠稅款的利率一致。以前是1%之
   差。

8. 國稅局若在18個月內未催稅款，則利息和罰金都要停計，直到催款以後才繼續計算。國稅局必須說明罰款和利息是怎麼計算出來的。

9. 納稅人因生理和心理殘障而無法處理財務，三年內須申請退稅的期限即中止，等復原再退稅。

10.如果國稅局太無理而打輸官司，必須賠償律師費等，甚至賠償納稅人的損害，最高一百萬美元。

11.國稅局向第三者(如僱主、來往客戶等)查證前，須先通知納稅人，納稅人可以要求法院制止。

12.會計師、稅務師等做租稅規劃和顧問的資料可以享受保密的權利，但稅表上的相關文件不在保密範圍。(如果連稅表上的數字或其它資料都保密不讓國稅局知道的話，國稅局根本無法查稅)。

這些條文對納稅人的保護增加很多，但我們必須了解，會計的基本要求，如單據齊全和合理的稅法依據，還是必要的。

國稅局查稅無孔不入

　　國稅局查稅，辦法很多，我們的銀行存款進出，國際電匯，甚至連住什麼房子，開什麼車，都是查稅的範圍。某佛教大師到北美洲某地募款，僑領廣邀官員捧場，沒想到當場一捐數千元的，多是領老人補助金的移民。官員大開眼界，回辦公室立刻下令對那些老人查稅。

　　又如，一名美國國稅局查帳員到某中餐館吃飯，注意到一台高級朋馳（Benz）車每天停放門口，一查是中餐館老闆的車，中餐館老闆馬上被查帳。

　　再如，某老闆每天收現金不報收入，為了逃稅，每隔幾天存入九千多美元。他以為存款不超過規定的一萬美元，銀行不會申報，也就不會出事，沒想到只要存款成固定模式（pattern），即使不超過一萬美元，銀行也須申報。國稅局後來發現他這個「化整為零」的招式，不只漏稅人受到民事和刑事處罰，連教他這一「高招」的銀行經理也因未申報而被重罰。

　　國稅局查銀行報表，發現向聯邦申請社會福利救濟補助款的人，每年從海外匯入巨款繳房屋貸款，再查的結果，發現美國貧民竟是海外巨富，海外收入卻沒報稅。餓虎立刻撲到一隻

肥羊。

一般國稅局查稅的方法，分爲「直接法」與「間接法」兩種。

直接法就是從你的帳簿、銀行對帳單、帳單，以及收據等去看你是否有逃漏稅，或報了不該抵稅的項目。針對許多有現金收入而無證據的人，就用間接法。間接法有三種，「淨值法」、「支出法」和「銀行存款法」。

淨值法就是比較納稅人年初和年末的財產淨值。重點放在納稅人如何投資，而非錢的來源。如果納稅人的資金或財產增值多於報稅收入，卻無法解釋來源，那麼就把這財產增值部分當做逃漏稅的收入。其計算方式是：

（期末淨值－期初淨值）＋（不可抵稅支出）－（不必課稅收入）＝課稅收入。

如果能解釋來源，就可安然無恙。什麼來源呢？ 例如收回的借款，他人的贈與……等等。

支出法(Expenditure Method)是看納稅人如何花錢，如果納稅人出手闊綽，年年度假，買的全是金表，賓士車，卻說沒收入，那麼國稅局可以認定你花的錢比賺的錢多，一定還有收入沒報。以往，納稅人被查稅時，往往須填一份財務狀況報表，98年新稅法規定，除非國稅局查帳員已有合理的證據顯示逃稅，否則國稅局也不能用「財務情況」(financial status)來查稅。

第三個方法是最常用的，叫銀行存款法(Bank Deposit

Method）。銀行存款法是把你銀行的存款，扣除借款，贈與，再存款，各銀行戶頭間的轉帳等非收入存款，其他不能解釋的部分都算收入。對納稅人而言，如何證明銀行存款不是收入，是非常重要的。

通常，要回想兩三年前的收入從何而來，是非常困難的，所以單據的保存非常重要。

拿出證據來，誰也不怕誰

　　老一輩的台灣人如果上法院，自覺三代蒙羞，南部客家俗諺甚至說：「官司好打，狗屎好吃。」但美國人卻以好訟聞名。大家告來告去，坐收漁利的是律師和保險公司。因此，全世界律師佔人口中比例最高的是美國。同樣是工商國家，日本每九千人中有一名律師，美國每四百人就有一名律師。新移民到美國來，不要怕被告，不要怕告人，但要懂得如何保護自己。

　　我曾談到留下支出單據可省稅，其實養成留單據和文件的習慣 ，也是在美國保護自己的權益的法寶。

　　在美國要留的文件很多，所有和我們的財務有關的東西，如合約、收據、買東西的保證書、銀行月報單、信用卡報表、回籠支票、電匯單等都要留下來。這些單據，如回籠支票、信用卡報表、和收據等是用來對付國稅局的，因為可證明我們的支出；有些（如銀行電匯單等）是用來證明錢不是我們賺來的，而是我們的有錢親戚或父母給的；也有的是用來保護權益用的，如合約、保證書、和收據等，因為在美國除買車和一些特別的東西外，你不必說明理由就可退貨。當然有些資料是用來來打官司的。

不少美國人對保留資料簡直瘋狂之至，例如，外子的一名助教告訴我，她保留大學四年所有作業和成績單，一直到拿到畢業證書才把那些資料丟掉。她說：「我怎麼知道大學的電腦那天當機而丟掉我所有的成績單？」許多教授也把學生的考卷和成績單留三年，免得那天和學生起了爭議，拿不出證據來。

要在人告人的美國社會生存，不要怕被告，也不要怕告人，只要你能「拿出證據來」。

避免國稅局查帳要訣

美國國稅局用電腦處理納稅人的資料，也用電腦程式去核對有問題的稅表。避免國稅局查稅的方法有幾：

一、確定第三者給國稅局的資料和你手上的資料記錄符合。如銀行利息，薪資單（W-2），貸款利息（1098），雜項收入（Form 1099）等。

二、確定使用正確的稅表。

三、記錄銀行存款，不同的戶頭轉帳等，最好把存入的支票影印，尤其是非收入的存款，如借款、贈與、接受遺產、保險給付等更要保留，否則國稅局都把這些存款當成你的收入。

四、銀行戶頭要乾乾淨淨，隨時可以準備讓國稅局來看。

五、生意戶頭和個人戶頭要分開。

六、可抵稅的支出最好用支票或信用卡支出。

很多客戶和書報雜誌讀者問我：「我們遠在台灣、香港、或大陸，美國國稅局怎麼查得到我們的稅？」這個問題問得好。因為美國和台灣和香港沒有所得稅條約，台灣政府沒有義務提供報稅資料給美國國稅局，所以美國國稅局在台灣和香港查稅比較困難。但他們總是有辦法的。

例如，美國國稅局和移民局合作，規定綠卡持有者若不誠實報稅，則拿不到公民權；他們也和貸款公會合作，規定申請貸款所報收入和稅表收入如差超過一萬美元，貸款公司和銀行要向國稅局申報；國稅局也查銀行存款和電匯記錄，並規定銀行必須申報現金存款一次超過一萬美元以上的客戶名字。他們最狠的一招是：只要你無法證明錢的出處，一律當做收入來課稅，讓你急得像熱鍋上的螞蟻，太平洋兩岸到處去找證據。

美國國稅局雖然已開始進行各類改革方案，但國稅局為了拿到稅款，手法仍舊會推陳出新，所以納稅人最好不要輕忽，仍要遵守避免被查稅的法則。

存十元收據，省五元稅

演講或發表文章後，常被問到一個問題：「移民到美國，第一件要做的是什麼？」我總是回答說：「買個資料櫃（file cabinet）和一大盒資料夾，把稅表、銀行對帳單（bank statements）、回籠支票（returned checks）、和購物收據等都分類放好。」

講這些好像婆婆媽媽。一位長輩就開玩笑說：「你讀稅法碩士，天天泡圖書館，埋頭在電腦前研究那麼多年，學的就是這個？」當然不只這個，但是從事會計師這一行那麼多年，我最頭痛的就是客戶拿不出單據來證明自己的支出而白繳稅。尤其台灣、香港和大陸新來的客戶，常常要什麼沒什麼。在美國住久的客戶一般能提供比較完整資料。

保持單據有許多的好處。對於做生意的人，一來可用以紀錄收支，每過一段時間還可以用來比較，看自己生意有沒有好些。第二是用來準備財務報表，不管是損益表或收支平衡表，保留下來的單據是做帳最基本的根據。另外一個好處是可以紀錄買賣的對象，以便在報稅時分別出來各類扣繳或扣抵的項目，並且，一旦在國稅局來查帳時有所依據。

基本上，單據可已分為以下幾類：銀行往來、買賣紀錄、

花費項目（包括旅遊、贈品、娛樂項目等等）、資產狀況（包括買賣日期、價格、折舊狀況等）。

做帳的方式因人而異，有些人習慣用傳統的簿記方式，但越來越多人開始使用電腦記帳。美國新的電腦軟體容易學，漸漸成爲企業和家庭財務記錄的幫手。這些軟體功能很多，有些也包括計算稅額的功能在內。

美國的報稅制度和香港、大陸、台灣不同。這制度叫做「自行計稅」（self-assessment）的制度，由納稅人自己報收入和支出，也自己計算補繳額或退稅額。美國幅員那麼遼闊，人口那麼眾多，國稅局如何使百姓誠實報稅？如何監控百姓逃稅？國稅局靠的就是查稅。查稅講求證據，而收據就是證據。若拿不出收據，只有忍痛繳稅和罰金。

別小看這些小小的收據。每存10元收據，省的也許不止5五元稅，以加州的自行營業者（sole proprietor）爲例，如果是高收入者，每多賺10元，要繳15.3％的自雇主社會安全稅（self-employment tax），39.6％的聯邦所得稅，9.3％的加州州稅。加起來超過50％。有了收據，扣除額多，稅就少了。如此，每多10元的收據，就可省5元稅。

在美國，有的收據必須留三年，有的須留六年，有的須留一輩子。但我一般都建議多留幾年。舉例來說，因爲自用住宅修房子支出雖然不能馬上抵稅，但賣房子時可抵稅。我有客戶連二十多年來買冰箱等的收據都留著，結果賣房子時省了不少稅。1997年新稅法中規定自住宅有25萬（夫婦50萬）美元的免稅額，所以情況好些，但若漲價超過免稅額，這些單據還是有用

的。

　　一個30美元的資料櫃，可能成為你在美國最值得的投資，因為你不必「上窮碧落下黃泉，動手動腳找收據」。

資料種類與建議保存年限

	商業紀錄	個人紀錄
保存四年	1. 銷貨發票 2. 購貨與一般性支出帳單 3. 辦公往來文件紀錄	1. 收據，帳單，回籠支票 2. 收入憑證（如1099，K-1，W-2） 3. 證券公司，房地產仲介等所提供的財產交易證明 4. 退休金帳戶（IRA）的存提記錄 5. 自住宅或Home office各項折舊，地稅，修繕，及增添紀錄
保存六年	1. 銀行對帳單及回籠支票 2. 會計帳簿	銀行對帳單及回籠支票
保存十年以上	1. 薪資稅報表 2. 所得稅表	個人所得稅表及薪資表（W-2）

還鄉篇

綠卡：相見時難別亦難
——放棄居留權須繳棄國稅

　　孫悟空隨唐三藏西遊，以他能力之高超，還是多次受不了挫折而回花果山，重整王國。新移民也是如此，不論當年是雄心壯志破釜沉舟，也不論美國夢成功與否，還是常有不如歸去之慨。

　　新移民的挫折，有心理上的，也有經濟上的。心理上，因爲語言、文化、和溝通的限制，或因爲「玻璃天花板」擋住自己的前途，而有志未伸。

　　經濟上則因放棄台灣優裕的生活、事業、收入，必須從頭開始。另一個十年的奮鬥，對單身的年輕人不算什麼，但對帶著子女的中年人，移民是一個大挑戰。

　　有些人回頭了，有些人成了空中飛人，但多數移民留下來了。有些是「未老莫還鄉」，或「不是衣錦莫還鄉」，在美國夢未圓之前不願返鄉。也有很多爲了孩子而留下，因爲美國的教育制度和台灣、香港、中國大陸不同，孩子到美國適應還容易，但要從美國回這三地受教育，「轉型」的空間很小，成本也太高，於是現代孝「子」、現代孟母、「空中飛人」……紛

紛出現。

很多移民在子女成龍成鳳飛走，空巢之後回故鄉。也有在未老之前，回國為深愛的故鄉貢獻心力。但近年來，也有新移民是為了自己太成功，不願繳美國所得、遺產、和贈與稅而放棄綠卡。

「未衣錦」或「未老」要不要還鄉，是個人的人生抉擇，不在此討論。但要不要為了美國高所得和遺產稅而放棄綠卡，則值得研究。

放棄公民和綠卡有什麼好處？

假定美國沒有棄國稅（expatriate tax）的法條，則放棄綠卡至少有以下這些好處：

1. 放棄公民或綠卡前後把銀行存款匯到國外，或放棄綠卡後，把美國銀行存款改成外國戶頭，則這些存款的美國所得和遺產稅將來都全免。

2. 放棄公民或綠卡後，才把增值多年的股票賣掉，因為外國人買賣美國股票的增值免稅，則可免掉一大筆所得稅，這是很多美國的有錢人放棄公民權而搬到免稅天堂的島嶼居住的原因。

3. 在海外的財產──如在台灣的房地產，大陸的工廠，香港的店等都逃離「山姆叔叔」的手掌心，不會被美國政府課遺產、贈與、和所得等稅。

4. 放棄公民或綠卡後才把海外的財產轉給子女，或把錢

匯給美國子女，都可免掉贈與稅和遺產稅。

因為美國的所得、贈與、和遺產稅高得驚人，也因為放棄綠卡有如此多之好處，很多人不願和「山姆叔叔」共產，紛紛放棄公民權或綠卡。不只公民大唱「我欲乘風而去」，新移民也高吟「不如歸去」。當美國政府發現自己的稅金也跟著公民和永久居民乘風而去時。也使出高招。美國國會於1996年加強棄國稅(Expatriation Tax)法案。把原來只適用公民的法條，擴大到長期永久居民。這法律規定美國公民和長期永久居民如果放棄居留權的主要目的是逃稅，那麼就要繳棄國稅。

雖然法案在1996年才通過，針對綠卡持有人的棄國稅法律，自1995年2月5日起即生效。

棄國稅適用於放棄綠卡後10年內出售擁有綠卡期間的財產增值，例如，拿到綠卡當天在台灣有一棟房屋值50萬美元，放棄綠卡當天這棟房屋值90萬美元，增值40萬美元，放棄綠卡後10年內賣掉這棟房屋，這40萬美元增值就要向美國政府繳稅。

棄國稅亦包括遺產和贈與稅，放棄綠卡或國籍後10年內，若有遺產和贈與的情形，依照法案，也都在課稅範圍內。

長期永久居民是指放棄綠卡前15年內，有8年是美國永久居民。根據新稅法，只要納稅人過去五年內的納稅額平均超過10萬美元，或資產超過50萬美元，則在放棄公民和綠卡時將被假定放棄綠卡和公民權是為了逃稅。這個底線隨物價指數調整，在2001年增至$116,000和580,000。

申請合理放棄國籍的認定

在放公民權的部分，如果符合以下條件，就可以提出申請，認定放棄國籍不是以逃稅爲目的：

1. 出生時即擁有雙重國籍；
2. 因配偶或父母之一的出生地，而成爲另一個國家的國民；
3. 過去10年來，每年在美國居住時間不超過30天；
4. 在18歲半之前放棄公民權。

美國國稅局認爲，以上認定非逃稅的規定，如果只對公民開放，而不適用於綠卡持有人，實在太嚴厲。於是決定放棄綠卡的人，也可以向國稅局申請認定的條款。但申請的條件有三：（1）申請人因爲父母之一或配偶出生於另一個國家，放棄綠卡當天在當地居住，成爲那國的公民，並負有納稅義務；（2）過去10年內，每年在美國居住不超過30天；或（3）申請人在十八歲半之前放棄綠卡，另外，條約國的居民，並且未申請條約國所得稅優惠者，也可申請認定「非逃稅」。

在以上各種條件限制下，如果因爲一點點誤差而不完全符合以上條件的綠卡持有人也可以申請認定。例如過去10年中有一年在美國居住35天，而不是30天也可以通融。

符合條件並申請認定之後，如果國稅局不通過，則仍要繳棄國稅。另外，要避免棄國稅，在放棄綠卡一年內，一定要去函請求認定。

不久前在美國有教授為了棄國稅的問題，不敢接受台灣知名大學邀請回國當校長，在這個時候，可以去函要求認定。如果回母國擔任公職人員，必須被迫放棄美國綠卡和公民權，也可用以證明棄國不為逃稅。不同的案例有不同的原因，有的是因工作需要，有的是因家庭需求(父母年邁需要照顧，夫妻團圓等)。放棄綠卡是一個人生重大抉擇，所以信函內容寫法往往成為關鍵，要合情合理，才不會被裁決是因逃稅而放棄綠卡。

提供個人資料

很多人問，我放棄綠卡後不再報稅，美國國稅局怎麼查稅？這個 問題美國國會和國稅局早想好了。國稅局和移民局合作，要求在放棄國籍的同時，必須向美國外交部申報一份清楚的個人資料表。包括社會安全號碼，外國的住址，將會住在那個國家等等。如果財產淨值超過50萬美元，會被要求填寫資產負債表，以及放棄綠卡和公民權時當年的稅表。資產自己誠實估價即可，不需正式的估價。

這份表格必須加上「申請日期」。日期可以是(1)在美國外交官或大使館官員面前放棄國籍的當天，或提供外交部個人資料的申請日；(2)美國國務院發給放棄國籍的證明當天；以及(3)法院取消入籍公民證明的當天。

美國政府會將這份個人資料交給財政部，如果拒絕提供資料，放棄國籍的當事人仍然必須對財政部提出任何可以在將來認定個人身分的資料。美國財政部每年都會出版所有放棄國籍人的名單，包括申請放棄和被迫放棄的人。在放棄綠卡當年的

稅表上，必須附上以上要求的個人資料文件。

　　如果沒有合理的原因而拒絕提供個人資料，會被國稅局罰款。罰款金額可達棄國稅的5％，或是$1,000美金。

　　因此在1995年之後放棄居留權的人，必須在1996年填寫1040NR稅表，並附上以上要求的表格，才可避免國稅局的罰款。在1995年2月6日之前一年棄國的公民，仍可申請認定，並必須遞交所有的證明文件。

如何證明移民前已擁有資產？

　　因為棄國稅是以放棄綠卡時和拿到綠卡時的財產增值做為課稅標準，那麼，要如何證明擁有的資產是在移民之前即已持有，和當時的市價，而非移民之後之所得呢？

　　一般而言，美國的會計制度和台灣是類似的，只要會計上須要保留的文件，美國國稅局一般都會接受。例如，將於10月中移民，今年9月份的銀行對帳單就可證明你移民之前有多少現金，其他財產則可用所有權狀、股票單，證券交易所紀錄等來證明買價，何時購買和擁有期間。如果找不到原始文件，那麼用估計的就可以了。美國政府並未要求一定要正式的估價單。如果你對美國國稅局沒信心，或想更詳細些，才要請估價師估算不動產，並請會計師做一個「個人資產負債表」。

　　做財產估價和個人資產負債表有一個好處，那就是若將來不想保留綠卡，國稅局要課「棄國稅」時，可以此證明在移民之前即已持有這些財產，和這些財產在移民之前有多少市價。因為「棄國稅」是根據移民前的資產市價和放棄綠卡（或公民權）

時的市價差價來計算稅額的。

　　至於，要不要把個人資產負債表交給美國移民局，要看移民局的要求，如果移民局只要求「生活保證」，並未要求你詳細填寫你的資產，那就守中國人智慧語——「錢財不露白」，只要提供足以證明有錢在美國生活就好了，等國稅局要時再給；如果移民局要求看全部資產，那麼就要給他們，否則會造成目前很多加拿大移民一樣的問題——隱藏資產而被當做收入課稅。

　　擁有綠卡的人都知道綠卡難得，與綠卡「相見時難」；1996年「棄國稅」稅法制訂後，新移民再度體會，與綠卡「別亦難」。真是「相見時難別亦難」。

附　錄

2001年新稅法解析

布希政府上台才半年，因為國會和白宮都是共和黨掌握，不僅2001-2002年預算早早通過，10年的減稅方案也簽字成了新法，這和往年拖到年底還不見預算的情況大不相同。

布希的10年減稅，有幾個特色：

1. 頭輕腳重——前四年減稅少，後四年漸多，最後兩年最多。大家都知道總統一任四年，布希一做就是十年計畫，如果經濟好，所有減稅功勞都是他的，如果經濟不好，在他的第一任內，國庫應不至於阮囊羞澀，頭痛的問題讓下任去傷腦筋。
2. 著重個人減稅，而非工商減稅。
3. 日落條款（Sunset Provisions）：第2011年開始，所有的新稅法都失效，回到2001年的舊法。到時白宮和國會如果不動，則將成為歷史上最大的增稅法案。

新法通過不久，美國經濟急速下滑，加上賓拉登等恐怖份子製造911事件，用飛機當飛彈，炸燬一個紐約世貿大樓和華盛頓國

防部，接著戰爭和炭疽病驚魂，以及不斷的恐怖威脅，美國經濟走入衰退，總統和國會再討論百億美元($10 Billion)的經濟振興方案，減稅方案是其中之一，如果通過，稅率將再降低。

10年的減稅計畫，主要在幾方面：

1. 稅率降低
2. 孩童的租稅優惠
3. 婚姻懲罰的減免
4. 教育優惠
5. 廢除遺產稅
6. 退休金計畫
7. AMT稅免稅額提高
8. 其他

降低稅率

2001年最熱門的是7月份開始，多數納稅人收到每戶$300(夫婦$600)支票的退稅。這是布希早給的聖誕禮物，希望藉此刺激經濟，把美國往下掉的經濟提上來，結果據統計只有百分之十幾的人把退稅支票拿去買東西，其他的人都存起來或還債了，它的效果有限，接著被賓拉登的911恐怖行動打得幾乎看不見。美國經濟也急速下滑。

這筆退稅其實是預領2001年的減稅，也不是每個人都有，據統計有多於40%的報稅人不能領。這些人是：2000年未報稅或不

必繳稅的人、外國人、受撫養的報稅人、信託和遺產。如果你在
2000年不必繳稅，但在2001年要繳稅，可不可以享受這$300（夫婦
$600）的稅貸？答案是可以。反之，你在2000年要繳稅，但在2001
年不必繳稅，需不需要退還這筆錢，答案是不需要。2001年的稅
表上會有一個附表來計算這個退稅金額。

　　因為不繳稅的多數是窮人，600元對富人根本用處不大，所以
國會正研究再給另一個聖誕禮物，有人主張再退回600元的社會安
全稅，也有人主張給10天的銷售稅免稅，目前還在國會討論中。

　　7月1日以後，薪資扣繳稅率（Withholding rate）也降低。

　　另一個納稅人受惠最多的是稅率的降低，把原來的五級稅率
增加成六級（10%～35%），15%稅率不變，在15%之下增加一個
10%最低稅率，2001-2007年適用於課稅收入單身6,000，單親家庭
10,000，夫婦12,000以下。2008年以後則是單身7,000，單親家庭
12,000，夫婦14,000以下。

　　其他稅率則分年降低如下：

2000年度		15%	28%	31%	36%	39.6%
2001-2003	10%	15%	27%	30%	35%	*38.6%
2004-2005	10%	15%	26%	29%	34%	37.6%
2006以後	10%	15%	25%	28%	33%	35%

　　因為2001年7月1日以後才使用新稅率，所以2001年的稅率其
實只減0.5%。

個人免稅額和扣除額不再縮水

如果你是高收入的人，過去會發現自己的最高稅率其實不只38.6%，其原因就是個人免稅額和標準（或列舉）扣除額會因收入過高而縮水。

標準（或列舉）扣除額縮水幅度降低

現法規定調整後的毛收入（adjusted gross income, AGI）超過$132,950（夫婦分報者$66,475）以上部分，標準（或列舉）扣除額（standard or itemized deduction）的縮水幅度是3%的超額收入。但不能低於80%的扣除額。

新法以五年的時間廢除這個扣除額縮水的辦法，2006年-2007年縮水幅度減為2%，2008-2009縮水幅度減為1%，2010以後則不再縮水。

個人免稅額縮水幅度降低

現法規定調整後的毛收入（adjusted gross income, AGI）超過一定金額，個人免稅額的縮水幅度是2%×（AGI-N）/2500的超額收入。如果你是單身，N就是開始縮水的AGI，在2001年N超過$122,500，免稅額就開始縮水，到$255,450（夫婦合報$321,950），那麼你的個人免稅額就泡湯了。

新法以五年的時間廢除這個免稅額縮水的辦法，2006年-2007年縮水幅度減為原來的2/3，2008-2009縮水幅度減為原來的1/3，2010以後則不再縮水。

孩童租稅優惠

孩童抵稅額（Child Tax Credit）

孩童抵稅額從$500美元逐年增自$1,000，其時間表如下：

年　　　　度	每名小孩抵稅額
2001-2004	600
2005-20086	700
2009	800
2010和以後	1000

新法規定孩童抵稅額可退回，可退金額是勞力所得（earned income）超過$10,000部分的10％（2001-2004年），2005年以後是15％。

領養抵稅額（Adoption Tax Credit）

在美國，領養孩子可以享受領養抵稅額提高到$10,000，AGI大於$150,000時開始遞除。2003年1月1日起效。

扶養人照顧抵稅額（Dependent Care Tax Credit）

合格扶養人照顧費用的上限由一個小孩$2,400提高到$3,000（二個以上，$4,800到$6,000）。

抵稅額的上限由30％ 提高到35％。AGI大於$15,000抵稅額遞除，收入每增加2,000美元，抵稅額減少1％。收入超過$43,000者，稅抵額是合格育幼費用的20％。

參加公司附設育幼設備者可以享受25%的抵稅額。

2002年1月1日起效。

低所得抵稅額（Earned Income Credit）

提高低所得抵稅額（Earned Income Credit）的所得上限。02-04年提高，$1,000；05-07年，$2,000；08年，$3,000；09年後，物價指數調整。

免稅的工作所得不必列入計算。

替代最低稅免稅額應自工作所得中扣除。

以上2002年1月1日起效。

2004年起，非監護父母會喪失低所得抵稅額。

結婚稅罰（Marriage Penalty）

美國很多人寧可同居而不結婚，原因在於婚姻懲罰稅，也就是兩個都工作的單身的人比結婚的人繳的稅少。這問題討論了很久，國會終於通過新法來矯正這個不公平的法律。

新稅法對結婚懲罰法作了調整，但是要到2005年起才開始調動。

15%稅階的的收入額，夫婦是單身的：

2005年，180%

2006年，187%

2007年，193%

2008年以後，200%

標準扣除額(Standard Deduction)的幅度,夫婦是單身的:

2005年,174%

2006年,184%

2007年,187%

2008年,190%

2009年以後,200%

廢除遺產稅

　　布希總統遵守了他的競選諾言,廢除了遺產稅,但只有一年——2010年,因為日落條款的限制,如果國會不改,2011年起,整個新法律都失效,又都回到2001年的舊法來。

　　美國遺產和贈與的稅率和稅貸原來是一體的,稱為統一稅貸(Unified Tax Credit),也就是不論生前贈與和死後繼承,免稅額和稅率都一致。其做法是把一生中第一筆贈與計算贈與稅,減去統一稅貸,如果多於$0,那麼多出來的部分繳稅,如果少於$0,那麼就不必繳稅。第二年的贈與和前一年度的贈與累計起來計稅,再把以前已繳的贈與稅扣除,剩下的金額繳稅。如此每年循環累計計稅,一直加到最後算遺產稅為止。因為統一稅貸不易了解,所以這兩年立法都用「相當免稅額」(Applicable Exemption Amount),也就是在相當免稅額下,換算成統一稅貸。

　　這個一體計稅的方法將從2004年起分開,因為美國人贈與的免稅額最高只達100萬美元,遺產的免稅額年年增高,到2010年的

350萬美元。相當免稅額提高和稅率降低的年度如下：

年度	最高遺產稅率	相當免稅額
2001	55%（+5%）	$67.5萬
2002	50%	$100萬
2003	49%	$100萬
2004	48%	$150萬
2005	47%	$150萬
2006	46%	$200萬
2007	45%	$200萬
2008	45%	$200萬
2009	45%	$350萬
2010	repealed	N/A
2011	55%	$100萬

隔代移轉稅（Generation-Skipping Transfer Tax）其稅率還是以遺產稅的最高稅率計算。也隨遺產稅在2010年廢除。

廢除成本爬升

美國所得稅法原來規定，被繼承人過世時，他的所有資產的成本都以過世那天的市價為成本，這就是成本爬升（Step-up Basis）法。如果市價下跌，那就變成爬降（Step-down Basis）法了。如果遺產管理人在被繼承人過世第二天把他的所有資產賣掉，則市價等於成本，一毛未賺，當然一毛錢所得稅都不必繳。這個法律也已被新法破除，新法規定自2010年廢除遺產稅起，遺產的所得稅移轉成本，將和贈與一樣，也轉給繼承人，也就是所謂的Carryover

Basis，意思就是繼承人賣繼承的財產，要用被繼承人的成本來計算盈虧。這個法律曾在1976年試用過，結果非常糟糕，因為要生者找出他的財產的買價都很困難，要找死者的財產成本更困難，如果是幾代祖傳的房地產，要如何找買價？所以1977年開始就用目前的成本爬升（Step-up Basis）法。現在再回去用這法律，準是一團糟。為了你的後代著想，最好平時把資料整理好，也讓自己的家人知道重要文件在哪裡。

很多人原來不必繳遺產稅，但可以利用成本爬升（Step-up Basis）法免所得稅，新法將讓很多人因為失去成本爬升（Step-up Basis）法而增加所得稅負擔，新法規定可以採行兩個法定例外，可以提高遺產轉移成本：

不論繼承人是誰，每名美國被繼承人有130萬美元的財產可以用成本爬升（Step-up Basis）法，把成本提高到市價。如果生前有一些未用完的資本虧損（Capital Losses）、淨營業虧損（Net Operating Losses）、和Built-in Losses，那麼可以再加上去。外國被繼承人只有6萬美元。

如果繼承人是公民配偶，每名配偶所繼承的財產有300萬美元可以用成本爬升（Step-up Basis）法。非公民配偶繼承人則沒有這優惠。

不是所有的財產都可以成本爬升。被繼承人過世前三年從非配偶贈與得到的財產、被繼承人的生前收入、外國的個人控股公司（Foreign personal holding company）的股票、本國的國際銷售公司（domestic foreign sales corporation），外國投資公司（foreign investment company）或外國非積極性投資公司（foreign passive investment company)的股票。

在這法律下，誰繼承何種財產就變得非常重要，一般而言，漲價多的財產應該給公民配偶，其次是收入少的親人。

變賣被繼承人的主要自住宅時，$250,000資本利得免稅條款中，自有自住兩年的時間可沿用。

贈與稅和遺產稅最高稅率同步遞除，但不廢除。2010年遺產稅廢除時，贈與稅最高稅率降至所得稅最高稅率，也就是35％。因為$500,000的贈與就已在35％稅率，而美國人贈與稅的免稅額是一百萬美元，所以對美國人而言，贈與稅率就是35％。外國人的贈與沒有免稅額，所以稅率從18％～35％。

舊法州的遺產稅可以列項減稅。但2002年起，州的遺產稅慢慢不能減聯邦遺產稅，2002年，25％不能減稅；2003年，50％；2004年，75％；2005年，全部不能減稅。

退休基金（Pension）

這次布希的十年減稅法案，二分之一的編幅放在退休基金上，因為政府了解，除非百姓都願意儲存退休金，不可能有「獨立的老人」，新法放寬存放（Contribution）、發放（Benefit）、和雇主的儲金（Funding）限制。

公司的退休金計畫，一般有定額存放（Defined Contribution）和定額發放（Defined Benefits）兩種。

定額存放的計畫中，公司每年按照員工的年資、薪水、公司盈餘等條件，提撥一定比例金額到退休金帳戶，員工退休時以帳戶內的餘額做為發放的標準，稅法限定每年公司和員工可以存放

的金額。

定額發放則以員工將來退休時應領的退休金額，用精算法去倒算當年公司應存放的金額，稅法也限定每員工可以發放的退休金金額。

一般而言，定額存放計畫由員工來負擔風險，公司只管提撥。定額發放計畫則由公司來負擔風險，如果投資成果好，老闆可以少放一些退休金，反之，如果投資回收差，則老闆要多放退休金。老闆要負責退休基金內有足夠的儲金（Funding）。

提高定額存放的上限，從2001年的$35,000增加到2002年的40,000。2003年以後，隨物價指數，超過1,000元時調整。

提高定額發放的上限，從2001年的$140,000增加到2002年的160,000。2003年以後，隨物價指數，超過5,000元時調整。

提高退休基金薪資上限，從2001年的$170,000，提高到2002年的$200,000，以後隨物價指數，超過5,000元時調整。

另一種由員工存放或雇主代扣存的退休計畫，如401（k）、403（b）、員工的SEP、和457計畫等，其存放上限提高，從2001年的$10,500，提高到2002年的$11,000，2003年後，每年各增多1,000，至2006年的$15,000。以後照物價指數，超過500元時調整。

$11,000

$12,000

$13,000

$14,000

$15,000

　　一般退休金都是緩稅的，也就是雇主存放時，員工不報收入；員工存放時，可以減收入。等到員工退休時，發放的退休金，全額(本利)都課稅。1998年以後，美國立法創造了一種新的個人退休帳戶，叫做羅斯退休帳戶(Roth IRA)，這個退休金在存放時不減收入，但發放時是全額(本利)都不課稅。大概羅斯退休帳戶(Roth IRA)反應不錯，2006年開始，又將增加一個羅斯存戶(Roth Contribution)，或叫做羅斯401(k)。羅斯存戶是羅斯退休帳戶的兄弟，也是在存放退休金時不減收入，但提領時是全額(本利)都不課稅。

　　個人退休帳戶(IRA)有三種：傳統個人退休帳戶(Traditional IRA)，不可抵稅傳統個人退休帳戶(Non-deductible Traditional IRA)，和羅斯退休帳戶(Roth IRA)。三者的存放上限原都是$2,000，2002年以後提高如下：

2002-2004	3,000
2005-2007	$4,000
2008	$5,000
2009	隨物價指數調整。

　　為了讓晚入工作市場的人或在家撫養子女的人可以有機會拿到更多的退休金，新法規定滿50歲者可以存放更多的退休金。金額從2002年到2006年遞增如下，2007年以後隨物價指數調整。

	401(K)等	SIMPLES
2002年	$1,000	500
2003年	$2,500	1,000
2004年	$3,000	1,500
2005年	$4,000	2,000
2006年	$5,000	2,500

為了讓換工作的人不會因此失去退休金，有關員工何時才能保住公司提撥的退休金，即保權時間表（vesting schedule）規定也改變了。新法規定雇主有兩個選擇：

服務滿三年後，100%保權。
服務滿一年後，每兩年20%保權，六年後完全保權。

為了鼓勵低收入者儲存退休金，新法又給低收入者最高可達退休金存放金額50%的稅貸（credit），等於政府付一半的退休金。想想如果雇主可以對等替你存退休金（你存一元，他也替你存一元），政府又付另一半，你不存退休金就太可惜了。扣抵比例如下。

夫　婦	單　親	單　身	扣抵比率
30,000	22,500	15,000	50%
32,500	24,375	16,250	20%
50,000	37,500	25,000	10%
超過50,000	37,500	25,000	0%

VII. 獎學減稅

　　退休金減稅是培養獨立的老人，獎學減稅則是培養獨立的年輕人。一個人一生能收到的最好的禮物是教育和學費，一個國家要培養獨立的年輕人，也要從教育著手。美國有一個原則，那就是只要你能力達得到，沒有一個大學會因你的家境不好而拒絕你，政府和雇主也會用獎學金、補助、和學費貸款的方式讓你唸書。美國政府近些年來制定的新稅法中，對教育學費的支出非常重視，利用各種免稅（exclusion）、扣除（deduction）、和扣抵（credit）來鼓勵高等教育。

學費貸款利息

　　學費貸款利息扣減原來是放在列舉扣除額裡，因爲很多人不能受到收入的限制，使這法條幾乎用不上，後來移成調整收入，也就是放在AGI之前，所以有比較多人可拿到，但又有幾個限制：1. 必須在法定的60月裡面付的，提早付清的利息還不能抵稅；2. 最高$2,500利息，和 3. 因收入提高而遞除（Phase-out）的限制。

　　a. 02年起，遞除範圍由原來的$60,000<AGI<$75,000（單身$40,000～55,000）提高到$100,000<AGI<$130,000（單身$50,000～65,000）。03年起，遞除額以物價指數調整之。

　　b. 02年起，取消60個月減稅期間的限制。提早付清的利息也可抵稅

　　c. 這個新法使大多數人的學費貸款利息可以減稅。

學費扣減

1. 新法規定學費可以扣減收入，而且是放在AGI以前減，所以用標準扣除額的人也可以減稅。

2. 2002～2003年，納稅人的AGI ＜ $65,000（婚合 $130,000）者，學費在3,000元內可可抵收入，2004～2005年，4,000元內可減稅。$65,000＜AGI＜$80,000（婚合加倍）者，只有2,000元。這個AGI規定比希望和終生學習扣抵額還高，所以很多沒有拿扣抵額的人，可以用這扣減。

教育IRA

2001年起，收入免稅的教育IRA終於獲得正名，也和羅斯個人退休帳戶（Roth IRA）一樣，加了個國會議員的名子，改成為教育儲蓄計畫（Education Savings Plan），但因教育IRA已被用慣，所以一般人還是用這名詞。國會還做了大改變，使他更吸引人：

a. 可儲存額從$500提高到$2,000。

b. 用以決定遞除額的所得，夫婦是單身的兩倍，由$150,000＜AGI＜$160,000提高到$190,000＜AGI＜$220,000。單身是$95,000＜AGI＜$110,000。

c. 公司行號如能存放，不受以上收入的影響。如果夫婦收入過高，親友也可存放。

d. 儲存教育IRA的同一年，也可預繳或儲存合格學費。

e. 教育IRA的發放不影響希望（Hope）和學到老（Lifetime Learning）稅貸的領取。但同一筆支出，不可同時享受多

種好處，若領有獎學金或其他免稅的教育優惠，則須先扣除支出，再把剩下的支出用來計算希望(Hope)和學到老(Lifetime Learning)稅貸，如果花得更多，剩下來的才來算從教育IRA和合格學費計畫領出的錢是不是要繳稅。

f. 以往教育IRA只准用在高等教育的學費，新法規定幾乎可以用在任何和教育有關的，幼稚園到大學的學費、書費、用具、文具、家教、電腦、交通費等。

g. 教育IRA也可拿來付合格學費計畫(即學費預付或預儲計畫)。

h. 教育IRA可以在稅表的到期日(4/15)以前儲存。5/30則是超額儲存的提出時限，超過期限的人會被罰6%罰款。

i. 02年1月1日起效。

合格學費計畫

1. 稅法529條原規定只有「合格州學費計畫」(Qualified State Tuition Programs)才能緩稅。這些計畫包括預付和預存高等教育學費。預付學費是以現在的學費標準付幾年後的大學學費，由州政府來負擔風險。預存學費則是把錢交給州政府成立的基金投資，算是贈與小孩，一年可以存入高達五萬美元，但用掉五年每年一萬美元的贈與免稅額，而且基金賺的錢不繳稅，等小孩上大學領出來時才由小孩付稅。預存學費則由自己負擔風險，儲存者雖須指定受益人，但若受益人不能使用，則可轉給其他二等親內的家人。2001年新稅法大大放寬這規定：

a. 增加預付學費的參與，規定私立學校也可經國稅局核准設預付學費計畫

b. 合格學費計畫的利潤不再是緩稅，而是免稅。

c. 預付學費的發放不影響希望和學到老稅貸的領取，但不可一魚兩吃，把免稅的發放拿來付學費，又再拿同一筆學費來計算希望和學到老稅貸。但因希望和學到老稅貸只限於($2,000和$5,000)的學費可以扣抵，所以多付的學費和食宿、書籍，文具和用具等支出，都可用免稅的發放來付，所以參加這個計畫還是很值得的。

d. 只要受益人不變，合格預付學費可以轉移於合格學府間，但一年只能轉移一次。

e. 如果孩子長大後不上大學，可以轉給其他親人，親人可包括受益人三親等的堂表兄妹(first cousins)。

f. 預付學費不用於高等教育時，全部發放金額可稅外，加罰6%。

g. 2002年1月1日起效。

2. 2002年起，國家醫療服務隊(National Health Service Corps, NHSC)和軍方(Armed Forces)的獎學金(只限於學費和雜費，不括生活費)免稅。

3. 2002年起，非政府機構發行的公債，只要債款用於學校設備和建築，將來兌現付學費時，本息免稅。

AMT免稅額提高

　　新法降低普通稅率，但並未降低AMT稅率，預估新法實施後，會被課AMT稅的人會增加6倍。不過，新法提高AMT稅的免稅額，單身提高$2000，夫婦提高$4000。新法也規定孩童扣抵（child credit）可用來抵AMT稅，並不可用AMT稅來抵可退回的孩童扣抵（refundable child credit）。

董監事與員工分紅節稅指南
——從美國聯邦所得稅法看兩稅合一之設算扣抵法

顧問諮詢／何美惠會計師

文／林淑貞

　　兩稅合一新制施行爭議不斷，「董監事及員工紅利」之租稅會計處理，是主要爭議點之一，台灣與美國的兩稅合一制究竟有何相異之處？本期，我們特地走訪了正大聯合會計師事務所美國顧問會計師何美惠小姐，帶領我們一窺美國聯邦所得稅法中董監事及員工紅利之租稅會計處理。

紅利不得以費用支出　對員工及公司都不公平

　　具有美國稅法碩士學位，並在美執業多年，何會計師深諳美國稅法，她也在最近取得台灣的會計師執照，對台灣的稅法也有相當瞭解。此次趁著她回國之便，便邀請她對國內施行兩稅合一新制發表其看法。

　　她表示，目前兩稅合一中最受爭議的部分，在於董監事與員

工分紅(入股)的稅務問題。而根據新制法令規定,由於兩者在綜合所得稅屬於董監事員工的薪資收入,董監員工卻不能把分配的「可扣抵稅額」作為抵稅權扣抵綜所稅,同時在公司階段,也不能報薪資支出,對公司和員工都不公平。對於此點,她個人認為美國的所得稅法有相當完整的作法,國內相關人士不妨參考,以作為未來稅法修正的方向。

獨立課稅和兩稅合一　美國兩制都採用

何美惠說,目前世界各國對營利事業所得稅之課徵,型態上大致可分為兩大類:其一為獨立課稅制,採法人實在說理論,認為企業為有獨立納稅能力之課稅主體,故企業之所得課徵營所稅後,其盈餘分配予投資人時,須再課徵股東個人所得稅,且兩稅分別獨立、無任何關聯,此一型態代表即為台灣的舊制所得稅和美國的一般公司(C corporation)的公司稅;另一類型則稱為合併課稅制,採法人擬制說,認為公司法人為法律之虛構體,不具獨立納稅能力,僅係做為將盈餘傳送至股東之導管,故公司階段之所得與股東階段之股利,應僅課徵一次所得稅,此即為一般通稱的「兩稅合一制」,施行地區多以歐洲國家為代表,美國的合夥(partnership)、小型公司(S corporation)、有限公司(limited liability company)和獨資(sole proprietorship)都採法人擬制說,但只是在投資人階段課稅,企業階段不課稅。

「美國同時有『獨立課稅制』和『兩稅合一制』,但這兩套稅制和目前國內兩稅合一新制中,所施行『設算扣抵法』大不相同。」她說。

根據國際間目前所採行所謂的「設算扣抵法」，係指公司階段所繳納之公司所得稅，得全部或部分扣抵股東階段之所得稅。公司所分配之股利已繳納之公司所得稅得全部扣抵股東所得稅者稱之為全部扣抵制；僅能部分扣抵股東所得稅者，稱之為部分扣抵制。其扣抵比例愈高，愈接近兩稅合一制，扣抵比例愈低，則愈接近獨立課稅制。股東應計之股利所得為實收股利加計可扣抵稅額之和，股東之適用稅率若高於扣抵率，則須補稅；反之，股東適用之稅率若低於扣抵率，則可退稅。

而目前實施設算扣抵的國家，包含挪威、新加坡、馬來西亞、澳洲、紐西蘭等國，其所採行公司所得稅率與個人所得稅率皆為相等或相近，以避免已分配盈餘及未分配盈餘所適用之稅率差距過大，造成對公司股利發放政策的扭曲。

我國設算扣抵　採完全扣抵

我國兩稅合一方案中設算扣抵是採完全扣抵，要點則如下述：(1)營利事業所繳納之營利事業所得稅，股東得用以扣抵其個人之綜合所得稅；(2)股東適用之邊際稅率高於公司稅率者，則需補稅，股東適用之邊際稅率低於公司稅率者，則可退稅；(3)公司間轉投資所獲之股利完全免稅；(4)只適用於本國股東，不適用於外國股東。

因為公司不一定在盈餘當年分配紅利，新法以「可扣抵稅額帳戶」來處理已分配和未分配盈餘的可扣抵稅額，其主要內容包括兩個階段：

(一)公司部分

1. 公司應設置股東可扣抵稅額帳戶，記錄其繳納之營利事業所得稅，並計算其股東之可扣抵稅額。

2. 公司分配股利時，應以股東可扣抵稅額帳戶餘額，占其帳載累積未分配盈餘之比率，作為稅額扣抵比率，按各股東獲配股利淨額計算其可扣抵之稅額，併同股利分配。公司依規定計算之稅額扣抵比率，不得超過稅額扣抵比率上限。稅額扣抵比率上限為：

股東獲配股利	稅額扣抵比率上限
未分配盈餘未加徵10%者	〔25%÷(1－25%)〕＝33.33%
未分配盈餘未加徵10%者	〔32.5%÷(1－32.5%)〕＝48.15%
未分配盈餘部分加徵10%，部分未加徵10%者	依33.33%及148.15%加權計算，即 33.33%×A＋48.15%×(1－A)

附註：1.A為未加徵10%營利事業所得稅之盈餘部分占公司累積未分配盈餘之比例
2.股東可扣抵稅額＝股利淨額×稅額扣抵比率
3.股利總額＝股利淨額＋股東可扣抵稅額

3. 公司應於股利發放之此年1月底前，填具股利憑單，向稽徵機關申報，並於2月10日前送達其股東，據以申報個人綜合所得稅。

(二)股東部分

1. 國內個人股東應將股利總額合併其他各類所得申報綜合所

得稅課稅，股利所得所含之稅額可扣抵其應納稅額，扣抵之剩餘
數可以退稅。

2. 國內法人股東獲配之股利淨額不計入所得額課稅，其爲公
司組織者，股利所含之可扣抵稅額應計入該公司之股東可扣抵稅
額帳戶餘額；其爲教育、文化、公益、慈善機關或團體者，股利
所含之可扣抵稅額不得扣抵其應納稅額，亦不得申請退還。

(三)董監事員工部分

董監事和職工的紅利所含可扣抵稅額應自當年度股東可扣抵
稅額帳戶餘額中減除，但董監事和職工不得扣抵其應納稅額。

董監員工紅利課稅　三法條矛盾且不合理

兩稅合一制中與董監事和職工的紅利有關的主要課稅規定有
三，何會計師先說明這三法條，再以一例來說明這些規定的矛盾
和不合理的地方，對股東和董監事和職工的影響，以及修法之方
向。

綜合所得稅對董監事和職工的紅利課稅規定如下：

第十四條

第三類　薪資所得：凡公教軍警公司事業職工薪資及提
供勞務所得之所得

一　薪資所得的計算，以職務上或工作上取得之各種薪
資收入爲所得額。

二　前項薪資包括薪金、俸給、工資、津貼、歲費、獎

金、紅利、及各種補助費。

營利事業所得稅對董監事和職工的紅利課稅規定如下：

第三十二條

營利事業職工之薪資，合於左列規定者，以費用或損失列支：

一　公司、合作社職工之薪資，經預先決定或約定執行業務之股東、董事、監查人之薪資，經組織章程規定或股東大會預先議決，不論營業盈虧必須支付者。

第六十六條之四

營利事業左列各款金額，應自當年度股東可扣抵稅額帳戶餘額中減除：

四　依公司章程規定，分派董監事職工之紅利所含之當年度已納營利事所得稅額。

紅利當薪資課稅　綜所稅處理合理

何會計師說，綜合所得稅對董監事和職工的紅利當薪資課稅規定基本上是合理的，因為薪金、俸給、工資、津貼、歲費、獎金、紅利、及各種補助費基本上是勞務的報酬，不論用何種型式給付，課稅上都應該一視同仁，美國稅法基本上也是如此，不論給付的方法是用股票、實物、現金，不論是事先約定金額與否，都算收入，要以給付當時市價計算薪資。

盈餘才分配紅利　不能列薪資支出

她又說，對董監事和職工的紅利課稅規定不合理的現像發生在營利事業所得稅。依據所得稅法第三十二條規定，「薪資必須經組織章程規定或股東大會預先議決，不論營業盈虧必須支付者才能以費用或損失列支」。但紅利是以盈餘抽成分配，不合所得稅法第三十二條規定，所以不能列支。

從兩稅合一的觀點來看，不得列支的董監事和職工的紅利將增加公司的收入和營利事業所得稅負，但也同時增加股東的可扣抵稅額，股東最終還是可以利用可扣抵稅額來減少綜合所得稅或退稅，對整個企業和股東而言，只是時間的差異，稅負並未增加。但是所得稅法第六十六條之四卻規定，分派董監事職工之紅利所含之當年度已納營利事業所得稅額，應自當年度股東可扣抵稅額帳戶餘額中減除。如此，股東白白把可扣抵稅額分配給董監事職工。也難怪自兩稅合一法律通過後，各公司紛紛把董監事和職工分紅改薪資。

董監事職工不是股東　不應分配可扣抵稅額

何會計師說，股東可扣抵稅額，顧名思義就可知道是股東的權利，董監事職工不是股東，當然不能使用可扣抵稅額。但是董監事職工不是股東，為甚麼要和股東一起分配可扣抵稅額？

何會計師以一例說明目前兩稅合一稅法的規定所造成的不公平現象。

【例】

甲公司有稅前盈餘$120萬美元，公司稅率是25%。董事會決定三名股東，一名董事，一名監事和一名員工平均分配盈餘紅利（每人1/6）。三名股東的綜合所得稅率各為13%，21%，和40%。董事，監事和員工的稅率各為40%，21%，和13%。（為解說方便，這是簡化的例子，公司法和證交法的持股和分配規定暫時不管）

表1　根據兩稅合一的規定，公司和個人稅負如下

	總計	股東甲	股東乙	股東丙	董事	監事	員工
稅前盈餘	1200000	200000	200000	200000	200000	200000	200000
公司稅(可扣抵稅額)	300000	50000	50000	50000	50000	50000	50000
個人分配之盈餘	900000	150000	150000	150000	150000	150000	150000
個人所得邊際稅率		13%	21%	40%	40%	21%	13%
個人所得稅	222000	19500	31500	60000	60000	31500	19500
可用可扣抵稅額	150000	50000	50000	50000			
應繳(退)稅額	72000	-30500	-18500	10000	60000	31500	19500
個人稅後淨額	828000	180500	168500	140000	90000	118500	130500

從表1可看出，因為董監事和員工不可使用可扣抵稅額，同樣15萬元的分紅，董事和股東丙的稅率都在40%，股東丙只要補繳1萬元的稅，但董事卻要補繳6萬元的稅；股東甲和員工的稅率都是13%，股東甲可以退回$30,500稅，但員工卻要補繳$19,200的稅。同樣稅率的股東和董監員工5萬元的差距，就是董監事和員工分擔

卻不能扣抵的公司稅。因為不合理的規定，造成企業整體損失15萬元稅金。

兩稅合一新法制定後，董監事和職工的紅利課稅規定是爭議不斷，租稅規劃人員也討論在如何避稅。何會計師從股東和董監員工的不同角度，分析到底誰在負擔租稅、如何避稅、以及如何分享節稅的成果。

表2以董監員工每人加薪$150,000（目前稅後淨利），不分紅為例，來說明在董監事員工稅後淨收入不變下，股東可增加多少稅後淨收入。表4以董監員工每人加薪公司稅前盈餘的$200,000，不分紅為例，來說明在股東稅後淨收入不變下，董監事員工可增加多少稅後淨收入。

表2　董監員工每人加薪$150,000，不分紅

	總計	股東甲	股東乙	股東丙	董事	監事	員工
稅前盈餘	1200000						
董監員工加薪，不分	450000				150000	150000	150000
分配紅利後稅前盈餘	750000	250000	250000	250000			
公司稅(可扣抵稅額)	187500	62500	62500	62500			
個人分配之盈餘	1012500	187500	187500	187500	150000	150000	150000
個人所得邊際稅率		13%	21%	40%	40%	21%	13%
個人所得稅	249750	24375	39375	75000	60000	31500	19500
可用可扣抵稅額	187500	62500	62500	62500			
應繳(退)稅額	62250	-38125	-23125	12500	60000	31500	19500
個人稅後淨額	950250	225625	210625	175000	90000	118500	130500

　　表2說明公司決定將董監事和職工每人以現有的15萬元分紅轉薪資，也就是董監事和職工每人增加15萬元薪資，但不參加分紅。因為紅利和薪資的綜合所得稅都以薪資課稅，所以對董監事和職工沒影響。對公司和股東的影響則很大。因為薪資可以支出抵稅，所以公司稅大幅減少，股東分紅增加。

　　表3用具體數字比較表一和表二的結果，說明紅利轉薪資的租稅影響。董監事和員工淨得的分配都在NT$150,000的情形下，在目前稅制下，用分紅或薪資，他們的稅負和稅後淨利都不變。但從股東的角度來看，在目前稅制下，股東因為抵稅權需分配給董監員工，而分紅不能以支出抵稅，損失的稅負合計高達NT$122,250。兩稅合一的主要精神和目地在避免企業和投資人階段的雙重課稅，抵稅權原為股東權利，強行分配給董監員工是不合理的。

表3　紅利轉薪資，金額不變，稅後淨收入之比較

表1和表2比較	總計	股東甲	股東乙	股東丙	董事	監事	員工
董監員工分紅不可用抵稅權	828000	180500	168500	140000	90000	118500	130500
董監員工支薪，金額不變	950250	225625	210625	175000	90000	118500	130500
個人稅後淨額比較	-122250	-45125	-42125	-35000	0	0	0

　　表4從另一角度來看，假設股東同意以公司稅前盈餘的比例來加薪，也就是董監事員工每人增加20萬元的薪資，但不可參加分

紅。因為這60萬元可以用薪資費用支出，公司稅大幅減少，股東的總稅負不變，總稅後收入也不變。反之，董監事員工的稅後淨收入大幅增加。

表4　董監員工每人加薪$200,000，不分紅

	總計	股東甲	股東乙	股東丙	董事	監事	員工
稅前盈餘	1200000						
董監員工紅利轉薪資	600000				200000	200000	200000
分配紅利後稅前盈餘	600000	200000	200000	200000			
公司稅（可扣抵稅額）	150000	50000	50000	50000			
個人分配之盈餘	1050000	150000	150000	150000	200000	200000	200000
個人所得邊際稅率		13	21	40	40	21	13
個人所得稅	259000	19500	31500	60000	80000	42000	26000
可用可扣抵稅額	150000	50000	50000	50000			
應繳（退）稅額	109000	-30500	-18500	10000	80000	42000	26000
個人稅後淨額	941000	180500	168500	140000	120000	158000	174000

　　表5用具體數字比較表1和表4的結果，說明紅利轉薪資，董監事員工加薪對的租稅影響。在不影響股東利益的前提下，董監事員工增加的稅後淨收入總數達$113,000。

表5　紅利轉薪資，分配比例不變，稅後淨收入之比較

表1和表3比較	總計	股東甲	股東乙	股東丙	董事	監事	員工
員工分紅不可用抵稅權	828000	180500	168500	140000	90000	118500	130500
以稅前盈餘比例支薪員工	941000	180500	168500	140000	120000	158000	174000
差額	-113000	0	0	0	-30000	-39500	-43500

　　表6再進一步比較表3和表5就可說明，目前兩稅合一不合理的規定所造成對企業整體所增加的稅的稅負到底由誰來負擔。也可反過來說，用紅利轉薪資避稅的利益，該由誰享受。

表6　紅利轉薪資，加薪150000和200000，稅後淨收入之比較

表3和表5比較	總　計	股東甲	股東乙	股東丙	董事	監事	員工
加薪150000，股東稅負減少	-122250	-45125	-42125	-35000	0	0	0
加薪200000，員工稅負減少	-113000	0	0	0	-30000	-39500	-43500

　　表6清楚說明，如果企業用目前的稅前盈餘($200,000)來加薪，那麼節稅成果由董監員工來享受；如果企業用目前的稅後盈餘($150,000)來加薪，那麼節稅成果由股東來享受。如何制定加薪政策，要看投資人願意如何吸引經營團隊。也可採折衷辦法，以稅前盈餘($200,000)和稅後盈餘($150,000)之平均$175,000來加薪，投資人和董監員工一起分享省稅結果。表7和表8以具體數字說明，以目前的稅前和稅後淨利之平均[($200,000 + 150,000)/2

=$175,000]來加薪，投資人和董監員工的稅後淨收入的增加相當接近。

表7　董監員工每人加薪$175,000，不分紅

	總　計	股東甲	股東乙	股東丙	董　事	監　事	員　工
稅前盈餘	1200000						
董監員工加薪，不分紅	525000				175000	175000	175000
分配紅利後稅前盈餘	675000	225000	225000	225000			
公司稅（可扣抵稅額）	168750	56250	56250	56250			
個人分配之盈餘	1031250	168750	168750	168750	175000	175000	175000
個人所得邊際稅率		13%	21	40	40	21	13
個人所得稅	254375	21937.5	35438	67500	70000	36750	22750
可用可扣抵稅額	168750	56250	56250	56250			
應繳（退）稅額	85625	-34313	-20813	11250	70000	36750	22750
個人稅後淨額	945625	203063	189563	157500	105000	138250	152250

表8 紅利轉薪資，以稅前和稅後淨利之平均，稅後淨收入之比較

表1和表4比較	總計	股東甲	股東乙	股東丙	董事	監事	員工
分紅不可用抵稅權	828000	180500	168500	140000	90000	118500	130500
加薪\$1750000	945625	203063	189563	157500	105000	138250	152250
差額	-117625	-22563	-21063	-17500	-15000	-19750	-21750

減輕雙重課稅眞意　已被嚴重破壞

　　何會計師說，從以上分析可看出，不准企業把分配給董監事員工紅利當費用支出，又要求企業把股東可扣抵稅額分配給董監事員工，已嚴重侵犯到投資人或董監員工的權益，也不合兩稅合一減輕雙重課稅的真意。而且，企業非常容易以加薪不分紅來避稅。

以投資人爲標地的理念　董監員工不可用抵稅額

　　何會計師也不贊成讓董監事員工使用可扣抵稅額。她說，准許員工用可扣抵稅額抵稅，員工實得\$150,000紅利加\$50,000抵稅額，董監員工和股東的稅負一樣（參見表9），但比起以稅前盈餘（\$200,000）給董監事員工加薪，董監員工稅負明顯減少（參見表10），政府反倒損失稅收。而且，把股東和董監事員工放在一樣的地位，違反兩稅合一以去除投資人雙重課稅爲標地的理念。

表9　分紅時准許員工使用抵稅額

	總計	股東甲	股東乙	股東丙	董事	監事	員工
稅前盈餘	1200000	200000	200000	200000	200000	200000	200000
公司稅(可扣抵稅額)	300000	50000	50000	50000	50000	50000	50000
個人分配之盈餘	900000	150000	150000	150000	150000	150000	150000
個人所得邊際稅率		13	21	40	40	21	13
個人所得稅	222000	19500	31500	60000	60000	31500	19500
可用可扣抵稅額	300000	50000	50000	50000	50000	50000	50000
應繳(退)稅額	-78000	-30500	-18500	10000	10000	-18500	-30500
個人稅後淨額	978000	180500	168500	140000	140000	168500	180500

表10　使用抵稅額和加薪稅後淨利之比較

個人稅後淨額比較	總計	股東甲	股東乙	股東丙	董事	監事	員工
分紅,准許使用抵稅額	978000	180500	168500	140000	140000	168500	180500
加薪200000,不分紅	941000	180500	168500	140000	120000	158000	174000
差額	37000	0	0	0	20000	10500	6500

營所稅第32條應修改　才能達到公平課稅

何會計師贊同綜合所得稅的做法,把董監事員工紅利當做薪

資所得。她說，以公平性而言，董監事員工不論是用任何名目(紅利、或薪資)和型式(現金、股票、或實物)領取酬勞，都以市價核算薪資付稅，稅負都一致，比較公平。但她不同意營利事業所得稅法的做法。她說，營所稅第三十二條和應該修改，使企業不論用分紅、股票、或薪資支付董監事員工酬勞，企業都可用費用支出，如此，企業不論用任何名目和型式支出，稅負也都不變，對企業也較公平。當營所稅第三十二條和修改後，營所稅第六十六條之四也不必要了，因為董監事員工紅利早已用支出抵完稅，股東可扣抵稅額帳戶中，根本就不會有董監事員工紅利的含稅額。

紅利以薪資支出　企業免付高薪

　　既然公司可以提高薪資而不分紅利給董監事員工，為何建議修改營所稅第三十二條和第六十六條之四？何會計師回答說，高薪固然可以吸引人才，但增加企業的固定開銷，無形中增加資金的需求，對新或發展中資金不易取得的企業是很不利的。用股票和現金紅利，則是看公司整體的表現來支付酬勞，有錢大家賺，也很能吸引和留住人才。修改營所稅第三十二條，准許企業在支付股票和現金紅利時以薪資抵稅，可以不必強迫企業付高薪，使他們能以低成本培植事業，如此人才和資金合一，對台灣整體經濟是有大助的。

股票紅利會計　用薪資轉投資

　　以上是討論現金紅利。至於董監事員工的股票紅利，何會計師表示，會計帳做法基本原則應將之視為現金薪資，再將現金買

股票。如此員工申報薪資收入，再以所報薪資額當股票的成本價。給付的公司帳上則可以借薪資支出，再貸股東投資。如此有人報收入，就有人報同額支出，才能確保租稅的公平性。

表11 股票紅利會計

公司帳	員工
薪資支出 $200,000	股票投資 $200,000
股票投資 $200,000	薪資收入 $200,000

股票和現金紅利　影響美國經濟深遠

何會計師以美國舊金山灣區的矽谷為例，說明股票和現金紅利的吸引力和對美國經濟的影響。她說，矽谷有多少年輕人不計薪水到未上市的小公司（start-up company）去工作，為的就是股票，他們日夜辛勤工作，等待的就是公司有朝一日能上市，他們可成為百萬和千萬美元富翁。當你走在舊金山或聖荷西的街頭看到穿著牛仔裝的二十出頭的年輕小伙子，不要看壞他們，他們可能是身懷千萬美元股票的富翁。矽谷現在也成為美國經濟的命脈。

認股權緩稅吸引人才　國內稅界不妨多參考

何美惠會計師指出，美國鼓勵創業，創辦人可以用智慧財產權投資，取得股票時不報收入，在賣股票時付稅。這種措施，已培養出多少大企業。美國幾家大公司如Apple, HP, 和Yahoo等都是

從地下室起家，再由資本家投資，人才和資金的結合，而有今日的局面。台灣也也不落人後，有很多創投免稅的辦法，創造出今日電腦業排名世界第三的地位。

何美惠會計師說，智慧財產權投資辦法很複雜，有機會再說明。她只介紹員工「認股權」（stock option）緩稅的法令。「認股權」是提撥人（或賣者）和持有人之間的合約，持有人有權，但無義務在約定時間（段），以約定價格夠買股票。

美國企業鼓勵並吸引人才，也特別設計所謂「認股權」（stock option）的獎勵辦法；而政府爲協助企業，也特別制訂了認股權緩稅的法令，即提撥認股權和購買股票時不課稅，但一旦持股人賣出股票則要課稅。美國稅法對認股權，有相當嚴格的規定，卻能有效達成公平課稅原則。

何美惠說，美國公司常會釋出部分股票讓員工認購，這也是雇主用來酬謝員工的方法之一。一般來說，認股權會以提撥方式，直接提撥至公司重要的的經營團隊身上，以作爲過去服務的回饋及未來工作的激勵；或者，開放讓所有員工認購。

合格和非合格認股權　課稅方法不同

整體來說，美國稅法認股權的分類有兩種：法定認股權（合格認股權）和非法定認股權（非合格認股權）。合於稅法421到424規定的認股權稱爲法定認股權（合格認股權），不合此規定的認股權稱爲非法定認股權（非合格認股權）。這兩種認股權的重要差別在員工的課稅期間和種類，以及公司是否能以薪資抵稅。

一般而言，認股權的課稅分三階段：提撥（grant）、購股

（exercise）、和售股（sold）三階段。以一般的會計理論而言，只要員工收到公司提撥的認股權，他就有權利在約定時間（段），以約定價格夠買股票，所以只要認股權的價格可以判定，那麼他就應該申報收入繳稅。「非法定認股權」的租稅處理就是採用這原則。其租稅會計處理的基本觀念和上面所提的股票紅利是一樣的。員工以認股權的市價減去所付的認股價（option price）之差價申報薪資收入，再以認股價加所報薪資收入為股票成本；公司以薪資費用支出，再入資本投資。購股（exercise）時則不再認列收入。出售股票時，則以賣價減成本計算盈虧。

　　因為不是所有認股權都可在公開市場上轉讓，所以市價不容易取得，如果無行情，那就要有以下的狀況同時發生才能在提撥（grant）時認定收入：（1）認股權是可轉移的；（2）認股權在提撥（grant）時就可行使（購股）；（3）認股權的限制對市價不會有顯著影響；（4）認股權的特權市價必須能認定。不過，這種情形很少會同時發生，所以員工一般都在購股（exercise）時把當時市價和認股價（option price）之差認列收入，公司也同時以薪資費用支出。

　　因為員工購買股票或認購公司股權時，要把當時市價和認購價之差以薪資申報收入，認股價加上已認列的收入就等於員工的股票成本。出售股票時，則以賣價減成本計算盈虧。

　　她表示，認股權是可除權的。如果股票價值下跌，而認股權持有人不行使認股權購股，則他的成本（認股價＋已認列的薪資收入）就是資本損失（capital loss）。

　　從以上的分析可以看出，美國的員工股票的課稅是非常清楚的，如果認股權有市價，認股權提撥給員工時，員工就要申報薪

資收入，此時雇主也可在同一年度報薪資支出。如果認股權無市價，則員工行使認股權購股申報薪資收入時，雇主才能同時報薪資支出。而且，也不會像台灣「兩稅合一」一樣，要求員工報薪資收入，卻不准雇主報薪資支出。以上不合格認股權課稅有一問題，就是員工在認股權提撥或行使（購股）時，常常是無現金來付稅，只好賣股票來付稅，失去鼓勵員工和公司一體成長的本意，所以美國稅法特別定了緩稅辦法，這就是美國稅法421到424條的法定認股權（合格認股權）。提撥認股權和購買股票時不課收入，但一旦持股人賣出股票則要課資本利得稅。

法定認股權　不合台灣現狀

何會計師說，台灣目前可能不適合用美國的法定認股權緩稅辦法，因為台灣不課證券交易所得（即資本利得稅），若提撥認股權和購買股票時不課收入，則政府永遠課不到稅，而不是緩稅，不但不可能做到公平，還會加劇台灣不課證券交易所得稅所造成的貧富不均現象。她舉法定認股權緩稅辦法只供參考，說明美國課稅非常注意只要有人報支出，就要有人報收入。

基本而言，法定（合格）認股權包含兩種：獎勵性認股權（incentive stock option）及員工購股計畫（Employee Stock Purchase Plan）。當員工享受福利時，老板就要犧牲一些，也就是在利用法定（合格）認股權時，員工不報收入，雇主就不能報支出，也相對的不能做股東投資，所以，不是每個老板都願意給法定（合格）認股權的。

有關以上（非）法定的四種認股權的課稅期間、種類、和雇主

的課稅方法，請參考表12

表12　職工認股權（Stock Options）的認列收支時間

認股權種類		職工認列收入時間及種類			公司認列支出時間	
		提撥 （grant）	認購 （exercise）	出售 （Sale）	一般	不合格時
法定 （合格） 認股權	獎勵性 認股權			資本 利得	無	與職工同時 同額
	職工購 股計畫			一般 收入	資本 利得　　無	與職工同時 同額
非法定 （不合格） 認股權	有市價	一般 收入		資本 利得	與職工同時同額	
	無市價		一般收入	資本 利得	與職工同時同額	

　　表12中有一般收入和資本利得，美國稅法對一般收入（regular income）和資本利得（capital gain）的課稅方法不同，一般收入的稅率是15％到39.6％，短期資本利得稅（股票交易增值所得稅）的稅率和一般收入相同，但長期資本利得稅（股票交易增值所得稅）的稅率只有10％和20％。這是法定（合格）認股權的租稅優惠之一。

表13　一般收入和資本利得課稅的差異

收入種類	期　　限	稅　　率
一般收入		15％-39.6％
資本利得	短期（<一年）	15％-39.6％
	長期（>一年）	10％-20％

　　另外，雖然員工在提撥認股權和購買股票時不認列一般收入，但卻要購股時認列Alternative Minimum Tax（替代最低稅，AMT）的收入。美國有一個非常特殊的法律，叫Alternative Minimum Tax（AMT），這個名詞因為名實不符，根本不是什麼最低稅，所以很難翻譯，勉強翻為「替代最低稅」。這法律是為了防止有錢人避稅的重要工具。它把納稅人享受的多數的減稅優惠，如標準扣除額、列舉扣除額和特別扣除額中，以及各種利息，薪資和股票的免稅優惠都加回來，重新計算AMT收入，再給免稅額，用另一套稅率計算出Tentative Alternative Minimum Tax（暫時替代最低稅，TAMT），如果TAMT大於一般所得稅，TAMT減一般所得稅就是AMT，這是納稅人在一般所得稅外，要多繳的稅。如果TAMT小於一般所得稅，則繳一般所得稅。

　　AMT稅把認股權的緩稅優惠幾乎掃光，是美國高科技業的眼中釘，欲拔之而後快，他們的游說曾高達國會，1999年美國國會通過認股權不受制於AMT稅，但被克林頓總統否決。

　　要享受兩種法定（合格）認股權的條件有那些？獎勵性認股權（incentive stock option）及員工購股計畫（Employee Stock Purchase Plan）有什麼不同？表14把這兩種認股權的規定做一摘要比較。

　　這兩種認股權有相似處，如都是非繼承不能轉讓，不能給非員工，員工在購股前不能離職，認股權提撥兩年內或購股一年內不能出售所購股票等。它們也有不同處，如員工購股計畫要給所有全職員工，不能給高所得員工，但獎勵性認股權則無此限制。

表14　合格認股權的要求

獎勵性認股權 （Incentive Stock Options）	員工購股計畫 （Employee Stock Purchase Plans）
股票不可在提撥兩年和認購一年內出售	股票不可在提撥兩年和認購一年內出售
不可離開公司，離職後三月內要認購	不可離開公司，離職後三月內要認購
只能提撥給本公司或母子公司的員工	只能提撥本公司或母子公司的員工
股東會在計畫採用12個月前後批准	股東會在計畫採用12個月前後批准
認股權要在計畫採用或批准10年內提撥	
認股權要在提撥後10年內認購	認股權要在提撥後五年或27月內認購
認股價格不得低於提撥時的股價	認股價格不得低於85％的提撥或認購時的股價孰低
認股權非繼承不能轉讓	認股權非繼承不能轉讓
職工在提撥時不得擁有超過10％的一般股權	職工在提撥時不得擁有超過5％的一般或所有股權
不能提撥每年能認購超過10萬美元股票的認購權	不能提撥每年能認購超過2萬5000美元股票的認購權
	除高收入和非全職，所有員工都須提撥認股權
	認股權可以薪資的比例提撥並限制最高額
	認股價格低於股價時，差價認列一般收入

因爲法定（合格）認股權的條件很多，萬一不小心從合格變不合格怎麼辦？原則上按照上面不合格認股權的辦法處理。但如果因持股時間不夠長就出售，則在出售那年，原本只要繳20%的資本利得稅，可能就變成39.6%的一般收入。

何美惠最後強調，相關稅法相當繁雜，讀者有需要不妨可以與之聯絡她定會竭誠提供諮詢與服務。不過，她也指出，美國稅法雖然多變，但卻有其相當明確的平等課稅立場，國內稅法制訂人員不妨多加參考，以爲未來稅法修正之方向。

──原載《納稅人》雜誌

莫與Uncle Sam共產
——投資、移民如何省稅？

1998年4月23日於加州Merill Lynch美林公司演講紀錄

我們的財產有多少？

各位桌上都有一本用各國鈔票作封面的書，這是我在各報發表的文章編成的小冊。

我的助理在編纂時開玩笑說：「May，妳的照片在這個封面上，看起來妳已經變成鈔票的一部分了。」

我不想成為鈔票的一部分，但我倒希望擁有這些鈔票。這也是許多人在報稅季節的心願。

報稅的季節剛結束，各位都深深體會國稅局拿完的，剩下來才是我們的。這本小冊子的書名是「莫與Uncle Sam共產」。為什麼我說：「不要和Uncle Sam共產」呢？ 聽起來有點聳動，其實是很真實的。台灣每次有共產黨的威脅或軍事演習，大陸一有政爭，人和錢就淹到美國來了。但人和錢來了之後，實際上可能是

與美國政府（也就是Uncle Sam）開始共產。

與美國政府共產是怎麼開始的？

假設你賺一百萬美元，聯邦扣去39.6％，加州州政府扣繳9.3％的 所得稅，總共扣繳48.9％，若加上15.3％的社會安全稅，更不止一半。也就是說這100萬當中，你將與美國政府共產一半。等到有一天，你想要把錢留給子女的時候， 發現又和Uncle Sam 共產一次，爲什麼？ 因爲遺產稅的最高稅率是55％。所以在兩次共產之後，剩下不到25萬給子女。這就是爲什麼稅務規劃這麼重要的原因。

不只省稅，更要稅稅平安

美國的稅法非常繁複。每年4月15日前後美國全國人力有多少花在報稅和查稅上面，就知道爲什麼稅制簡單化的呼聲這樣高。稅法越繁複，漏洞越多，稅務規劃也就越重要。否則不只繳高稅，也容易因爲不懂法律而犯法。所以我常說，稅務規劃，不只要省稅，更要稅稅平安。

避開陷阱須靠稅務規劃

我們常常聽說投資什麼可以省稅，甚至不要繳稅，可是他們沒有告訴你還有其他的稅在等你。這就好比你了鑽過了一個稅法的漏洞，沒想到又掉到另一個更大的坑洞裡面去。所以稅務規劃要看的是整個大的結構。

讓我舉個例子，看看銷售稅和使用稅（sales and use tax）的稅務

規劃。

買產品時，如果賣方不扣銷售稅，則買方要繳使用稅，例如向外州或國外進口機器設備，賣方不扣銷售稅，買方要繳使用稅。某國的一家公司賣錄音帶給它在美國設立的子公司，當時加州州稅局就將它當做一般有形物品，也就是tangible property。根據銷售稅法，進口產品若不轉賣，就要繳使用稅。但若買的是版權，是無形intengible的，則不須繳使用稅。我接案以前，州稅局一口咬定這是這一項有形的產品，我接過案子後說不對，這應該是版權copyright，是無形的，一家公司怎麼會花這麼多錢買一個錄音帶。這家公司一年進口四百多萬美元的帶子，銷售稅課徵8.25%，一年要繳二十多萬美元的使用稅。後來在解釋上我爭贏了，替客戶向加州州稅局要回了過去三年繳的稅，（雖然我很想要回過去10年的，但法律規定只能要回過去三 年的稅），所以拿回幾十萬美元。更好的是，這家公司以後每年幾十萬美元的使用稅就不必再繳了。

在我做這個案例時，我發現這個案例背面有一個陷阱，若不是研究稅法的人，可能會跳下去。這個陷阱就是聯邦和加州的所得稅架起來的。版權copyright轉讓有兩種情形，一種是只准許幾年的使用權，就是版稅（royalty）。付royalty給外國人，根據美國聯邦所得稅法，要扣30%的所得稅，而加州要扣7%。也就是要付37%的所得稅。如果版權完全轉讓，也就是以商品買賣來處理，則以賣的地方為來源地，也就是非美國來源的收入是完全免稅的。

版權要用版稅或版權買賣處理，稅務機關一般看合約。若合約定不好，規定是當royalty處理，就要扣繳37%。所以我要求這家

公司把合約訂得非常清楚。是什麼時間，什麼情況下，進行什麼
買賣。

　　爲什麼版權買賣和版稅的課稅方法有如此大的差別呢？因
爲版稅就像租金一樣，把東西拿來美國借給你用，每個月付錢，
當然是美國來源收入，美國政府要課稅。若是版權買賣，則是以
出售人居所爲來源地，那就不必課稅。各位可以從下面的美國個
人所得稅稅制表上看出來。

美國個人所得稅稅制表

　　這個表非常重要，是我自己整理出來的國際稅法，也是我的
聖經。任何法條不清楚，我只要套在這個表上解釋，就一清二楚。
這個表不只適用個人，也包括外國公司。如果我們將表上非居民
改爲外國公司，居民改爲美國公司，就可以適用。回到前面的例
子，如果外國公司進口copyright，如果是買賣，是非美國來源的
收入，和美國的商務無關，所以免稅。反之，如果是royalty，就當
成產品借給你，讓你在美 國用，是美國來源的收入，就要扣繳37
％。如果一年進口兩百萬，就要繳74萬的稅。這就是爲什麼合約這
麼重要。

　　很多東方人，在母子公司做生意時當做自己人看，就不去管
合約的問題。東西拿來就算了，合約也訂得草率，認爲雙方看懂
就好了。實際上，母子公司的合約也是給稅務機關看的，不是只
給自己看的。這個環節不得不注意。

　　在個人所得稅部分，我再舉一個「鑽過一個漏洞，可能掉進
更大坑洞」的例子。近來台灣有人推動買美國的保險。有什麼好

處呢？根據美國所得稅法規定，人壽保險的死亡給付death benefit
是免所得稅的，外國人在保險公司的利息又免稅。加上台灣不課
國外來源的所得稅，這樣一來兩邊都不要繳所得稅，不是很「美」
嗎？ 但是，美國人的遺產是要扣稅的。如何讓保險也不課遺產產
稅呢？這就要安排非常複雜的稅務規劃，不在今天的討論範圍。
這是另一個做好稅務規劃可以省稅的例子。

贈與和稅

如果你接受外國人的海外贈與，超過10萬美元的話一定要申
報，只要在每年報所得稅表附3520表即可，但這一定是要外國人贈
與才可免稅。美國人贈與超過一萬美元就要申報。

在替客戶做租稅規劃時，要知道居民與非居民身分的影響。
我通常會問客戶的身分，有沒有綠卡？住在美國多久？出國旅行
狀況如何？收入哪裡來？

稅務規劃和國際稅法的知識很有關係。我再舉另外一個例
子： 在台灣，贈與者每年贈與100萬台幣(約3萬美元)以下的贈與
是免稅的 ，在美國，贈與者送給每個受贈者一萬美元以下免申
報。但如果是海外贈與，要超過10萬美元才須申報。如何在三者
間找出最有力的一點，使在台灣和美國兩地都可以免稅？這就是
我常說的「匯錢進出美國、 現金、股票、房地產買賣前，請找專
家商談」。因為匯錢進出時的陷阱很多，不小心就犯逃稅而不自
知。我們要知道，稅務規劃不是逃稅，而是為了省稅。但等到報
稅時才要規劃已經來不及了。

聽眾問答

問：海外贈與有沒有一定的免申報額度？

答：海外贈與超過10萬美元要申報，如果沒有申報會面臨罰款。
　　每月5%，最高25%的罰款。

問：既然擁有綠卡的稅方面的義務這麼多，如果放棄綠卡的話，
　　是否這些問題就解決了？

答：沒有。資產超過50萬美元而想放棄綠卡時，有所謂棄國稅。
　　放棄綠卡後10年內出售綠卡擁有期間的財產增值，都是課
　　稅的範圍。

問：中國（中華人民共和國）和美國有所得稅條約，是不是表示
　　兩國政府可以互相查對方人民的稅？

答：對，基本上當兩個國家簽有所得稅條約時，美國政府可要
　　求該合約國政府提供報稅資料。

問：在海外匯錢到美國時，要怎樣說明錢的用途？

答：錢進出美國時要了解動機目的何在。當我問一個客戶匯錢
　　進美國的理由時，他前後給我五個不一致的理由。我告訴
　　他說如果這樣回答國稅局的話，是會被當作「惡意逃稅」
　　的犯罪行為來處理的。所以匯錢的理由非常重要。如果你
　　說，這筆錢是要替兒子付買房子的頭款，那麼，贈送的美
　　國房子是美國財產，你又是外國人，外國人的遺產和贈與
　　一生免稅額只有6萬美元，所以如果給20萬美元，其中14萬
　　美元是要繳稅的。但若你說，這筆錢是要送給兒子，且在
　　台灣已交給第三者（銀行）匯給他，沒有講目的，則贈與在

海外完成，美國政府沒有權利去課稅。所以when, where, why
要事先想好，否則查帳時不斷解釋會惹麻煩。

另外，盡量以電匯的方式，或透過第三者匯錢過來，比較
沒有稅的問題。不要帶大筆支票和現金來，現金當作黃金，
在美國兌現就要繳稅。如果贈與人在台灣，可是有綠卡，
那是美國人，美國人贈與超過一萬美元以上就要報稅，但
目前在美國一個人一生有62萬5000美元以的免稅額可用，
超過部分才要繳稅。

問：受益人可以改嗎？改了有什麼問題呢？

答：有關受益人（beneficial ownership）也是我常碰到的問題。中
國人善於藏錢，到處去藏，到時終究會出問題的。美國稅
法規定，受益人不管錢在何人名下，依法還是要繳稅。和
國稅局打官司時受益人常常會輸，因為辯護時找不出證
據，紀錄上又常有不一致的情況。

問：我有綠卡，但我大部分時間都住國外，這樣子也要報稅嗎？

答：綠卡持有人，不論身在何處，都必須報稅。美國政府有「買
服務」和「買保險」理論。認為即使不住美國，你一旦在
海外出事，政府會派人去援救，是所謂買保險理論。這裡
引出另一個難題：在海外居留330天，有7萬2000元免稅額。
但移民局又規定，如果要拿公民權，五年內要在美國住兩
年半，所以要在免稅和公民權間做抉擇。

問：對於已經有不少財產，又想移民的人，哪個時候做稅務規
劃最好？

答：人生規劃要在稅務規劃之先。我常問我的客户：「你真的

要給子女這麼多錢嗎？」你現在給他們這麼多錢，他們的日子過得舒服，如果覺得不必要認真工作，你該怎麼辦？有些例子是老人家為拿政府的福利金，在拿綠卡前把財產都給子女，來了美國之後又老又病，兒女也不管他們，竟連住的地方都沒有。所以先作好人生規劃，再來談什麼樣的稅務規劃，對於管理財產比較有效率，是比較合理的做法。

會計業中的新聞人
—— 何美惠闖出自己的一片天

林雪儒／專訪

從新聞人轉行成為一名精通國際稅法的會計師，何美惠做了別人不敢做的決定。從事新聞工作有七年之久，由一名日報的記者，到《屏東週刊》的發行人，並以一則「留縣升學運動」的研究報導榮獲曾虛白新聞獎為止，何美惠在新聞領域中的表現及成就，已是同為新聞人的後輩學子亟欲追求，也望塵莫及的了。

何美惠畢業於政治大學新聞系，曾得過當時台灣新聞界最高榮譽獎——「曾虛白新聞獎」及紐約水牛城的一項詩獎，然而談起何以棄新聞而就會計的原由，何美惠表示，在創辦《屏東週刊》後，雖然專業知識足以應付新聞報導的需求，然而對於發行管理、推廣報紙卻還是門外漢。

後來也是因緣巧合，她隨夫婿鍾振昇赴美攻讀博士，接著鍾博士應聘到舊金山州立大學擔任口語暨傳播系的教授，她遂進入舊金山州立大學修習企管碩士，並以會計作為輔修。攻讀碩士這

段期間，何美惠是全班最優異的學生，她的指導教授發現何美惠有律師的思路，因此建議她主修稅法，是促成她日後考取會計師的因素，也因此讓她和稅法結下不解之緣。

前後僅花了一年半的時間即考取美國的會計師，何美惠也更發現自己對稅法有著相當濃厚的興趣。然而，對一般人都覺得枯燥無聊的稅法感到興趣著實令人訝異，但她卻能樂在其中。究其原因，應是以往所受的新聞教育訓練帶給她最大的好處，讓她在研讀稅法時能很快抓住重點，並在字裡行間去思考，不會只是死背法條，現在在為客戶解決問題時也更能廣泛運用。

何美惠在修習稅法之後，從工作和學習的經驗中體認到科技發達後國際交流日多，世界愈來愈小，尤其新移民到美國的華人與故鄉往來頻繁，常碰到國際稅法而不自知，因而被課重稅或被罰鉅款，在無意間已付了一大筆的稅負，而當今國際稅法的人才又十分缺乏，在看好這個市場的情況下，全心投入國際稅法的領域。

為了完成這個心願，她在學校的多數報告都是國際稅法的研究。她的努力沒有白費，當她完成稅法碩士論文時，三位指導教一致建議她提到國際會議發表。她的第一篇論文就這樣在「亞太國際會計會議」中發表。

以一個碩士班的學生，她的論文不只和教授們競爭，還在同臺發表的論文中受到最高的評價，她在學術方面的成就，使她在畢業時獲得「傑出研究生成就獎」、「研究成就獎」及「傑出會計研究生獎」。

第一篇國際稅法論文為〈百萬美元綠卡的所得稅成本〉，是

針對不同身分及投資形態下會造成怎樣不同的稅後盈餘，何種方式的稅後盈餘最爲有利，均有她個人的獨到見解。

除了國際稅法，移民稅法也是她專長的項目之一，而一般移民最容易遇到哪類問題呢？何美惠舉例，好比處理原居地財產的問題，以及變賣房屋所產生的房屋增值稅等，都是移民者防不勝防的夢魘，隨著移民國外的相關法令做了修正，移民者更是無所適從，到底什麼方式對移民者最有利，綠卡的代價有多少？她個人也提出解決的方案。

此外，她所發表的第二篇國際法論文，是〈九七後中國的國際條約適用香港的研究〉，預估香港租稅走向及投資者的租稅規劃，也於1996年11月在韓國漢城舉行的亞太國際會計會議上發表。

談到美國和台灣的會計環境，何美惠表示，台灣的企業時而會靠著關係，或塞紅包的方式來解決問題，這種做法和美國會計環境是無法相容的。眾所周知，美國是一個十分重視法治的國家，執法相當嚴格，連貴爲總統的柯林頓，仍難免於法律的約束。何美惠說自己是老實人，不會爲自己的客戶走旁門左道，她和客戶接觸時，都會先和他們溝通，期望客戶能採用自的的做法，在合法的範圍內來思考節稅的方法。

從新聞人到會計人，何美惠所抱持的做事態度，對其所投身去做的事，都當作是自己的使命。雖然她所從事的新聞和會計這兩個領域，都是勞心勞力的行業，但她堅持做事只要敬業就不會感到累，而在完成每件事情時，都能令她十分有成就感，而這份成就感也成了她樂在事業中的動力。

　　何美惠一路走來，自覺十分幸運，她說，今日的成就都是因為背後一直有一股力量支撐著她，讓她能掌握自己的目標往前衝，這股力量的來源就是他的家人。她憶及當年在美國攻讀企管碩士時，是懷著身孕的，當她參加會計師考試時，所幸有先生的體恤和大女兒的協助，才能讓她沒有後顧之憂，所以她將她的成功歸功於她的家人。

　　雖然她現在已躋身女強人之列，但她的外在卻仍然給人家庭主婦的感覺，頗具親和力。她在被問到到自己成功的因素時，直說並沒有什麼特別的座右銘激勵自己，只是在她年幼時，父親因工作而觸電死亡，給了她很大的打擊，也讓她了解生命的脆弱，因此對人生有了一番新的體認，努力踏實地過每一天，只記著要讓每一天都能充實有意義，這樣的人生才是值得的。也因此，何美惠創造了今日的成就。

　　　　　　　　　　　　　—— 原載1997年11月1日《納稅人》雜誌

Form **W-8BEN**

(Rev. December 2000)

Department of the Treasury
Internal Revenue Service

Certificate of Foreign Status of Beneficial Owner for United States Tax Withholding

▶ Section references are to the Internal Revenue Code. ▶ See separate instructions.
▶ Give this form to the withholding agent or payer. Do not send to the IRS.

OMB No. 1545-1621

Do not use this form for:	Instead, use Form:
● A U.S. citizen or other U.S. person, including a resident alien individual	W-9
● A person claiming an exemption from U.S. withholding on income effectively connected with the conduct of a trade or business in the United States	W-8ECI
● A foreign partnership, a foreign simple trust, or a foreign grantor trust (see instructions for exceptions)	W-8ECI or W-8IMY
● A foreign government, international organization, foreign central bank of issue, foreign tax-exempt organization, foreign private foundation, or government of a U.S. possession that received effectively connected income or that is claiming the applicability of section(s) 115(2), 501(c), 892, 895, or 1443(b) (see instructions)	W-8ECI or W-8EXP

Note: *These entities should use Form W-8BEN if they are claiming treaty benefits or are providing the form only to claim they are a foreign person exempt from backup withholding.*

● A person acting as an intermediary	W-8IMY

Note: *See instructions for additional exceptions.*

Part I   Identification of Beneficial Owner (See instructions.)

1 Name of individual or organization that is the beneficial owner

2 Country of incorporation or organization

3 Type of beneficial owner:
☐ Individual ☐ Corporation ☐ Disregarded entity ☐ Partnership ☐ Simple trust
☐ Grantor trust ☐ Complex trust ☐ Estate ☐ Government ☐ International organization
☐ Central bank of issue ☐ Tax-exempt organization ☐ Private foundation

4 Permanent residence address (street, apt. or suite no., or rural route). **Do not use a P.O. box or in-care-of address.**

City or town, state or province. Include postal code where appropriate.

Country (do not abbreviate)

5 Mailing address (if different from above)

City or town, state or province. Include postal code where appropriate.

Country (do not abbreviate)

6 U.S. taxpayer identification number, if required (see instructions)   ☐ SSN or ITIN ☐ EIN

7 Foreign tax identifying number, if any (optional)

8 Reference number(s) (see instructions)

Part II   Claim of Tax Treaty Benefits (if applicable)

9 I certify that (check all that apply):

a ☐ The beneficial owner is a resident of .... within the meaning of the income tax treaty between the United States and that country.

b ☐ If required, the U.S. taxpayer identification number is stated on line 6 (see instructions).

c ☐ The beneficial owner is not an individual, derives the item (or items) of income for which the treaty benefits are claimed, and if applicable, meets the requirements of the treaty provision dealing with limitation on benefits (see instructions).

d ☐ The beneficial owner is not an individual, is claiming treaty benefits for dividends received from a foreign corporation or interest from a U.S. trade or business of a foreign corporation, and meets qualified resident status (see instructions).

e ☐ The beneficial owner is related to the person obligated to pay the income within the meaning of section 267(b) or 707(b), and will file Form 8833 if the amount subject to withholding received during a calendar year exceeds, in the aggregate, $500,000.

10 **Special rates and conditions** (if applicable—see instructions): The beneficial owner is claiming the provisions of Article .... of the treaty identified on line 9a above to claim a .... % rate of withholding on (specify type of income): ....
Explain the reasons the beneficial owner meets the terms of the treaty article: ....
....

Part III   Notional Principal Contracts

11 ☐ I have provided or will provide a statement that identifies those notional principal contracts from which the income is **not** effectively connected with the conduct of a trade or business in the United States. I agree to update this statement as required.

Part IV   Certification

Under penalties of perjury, I declare that I have examined the information on this form and to the best of my knowledge and belief it is true, correct, and complete. I further certify under penalties of perjury that:
● I am the beneficial owner (or am authorized to sign for the beneficial owner) of all the income to which this form relates,
● The beneficial owner is not a U.S. person,
● The income to which this form relates is not effectively connected with the conduct of a trade or business in the United States or is effectively connected but is not subject to tax under an income tax treaty, **and**
● For broker transactions or barter exchanges, the beneficial owner is an exempt foreign person as defined in the instructions.

Furthermore, I authorize this form to be provided to any withholding agent that has control, receipt, or custody of the income of which I am the beneficial owner or any withholding agent that can disburse or make payments of the income of which I am the beneficial owner.

Sign Here ▶

Signature of beneficial owner (or individual authorized to sign for beneficial owner)   Date (MM-DD-YYYY)   Capacity in which acting

For Paperwork Reduction Act Notice, see separate instructions.   Cat. No. 25047Z   Form **W-8BEN** (Rev. 12-2000)

Form **1040NR-EZ**

Department of the Treasury
Internal Revenue Service

U.S. Income Tax Return for Certain Nonresident Aliens With No Dependents

OMB No. 1545-1468

2001

Your first name and initial	Last name	Identifying number (see page 4)

Present home address (number, street, and apt. no., or rural route). If a P.O. box, see page 4.

City, town or post office, state, and ZIP code. If a foreign address, see page 4.

Country ▶

Of what country were you a **citizen** or national during 2001? ▶

Give address **outside the United States** to which you want any refund check mailed. If same as above, write "Same."	Give address in the country where you are a **permanent resident.** If same as above, write "Same."

Please print or type.

Filing status (see page 4). Check only one box.
1 ☐ Single nonresident alien
2 ☐ Married nonresident alien

Attach Form(s) W-2 here. Enclose, but do not attach, any payment.

3	Wages, salaries, tips, etc. Attach Form(s) W-2 (see page 4)	3	
4	Taxable refunds, credits, or offsets of state and local income taxes (see page 4)	4	
5	Scholarship and fellowship grants. Attach explanation (see page 4)	5	
6	Total wages and scholarships exempt by a treaty from page 2, Item J . .	6	
7	Add lines 3, 4, and 5	7	
8	Student loan interest deduction (see page 5)	8	
9	Scholarship and fellowship grants excluded (see page 6)	9	
10	**Adjusted gross income.** Subtract the sum of line 8 and line 9 from line 7	10	
11	**Itemized deductions.** Enter state and local income taxes paid. Residents of India, see page 6	11	
12	Subtract line 11 from line 10	12	
13	Exemption deduction (see page 6)	13	
14	**Taxable income.** Subtract line 13 from line 12	14	
15	**Tax** (see page 6)	15	
16	Social security and Medicare tax on tip income not reported to employer. Attach Form 4137	16	
17	Add lines 15 and 16. This is your **total tax** . . . . ▶	17	
18	Federal income tax withheld (from Form W-2 and/or Form 1042-S)	18	
19	2001 estimated tax payments and amount applied from 2000 return	19	
20	Credit for amount paid with Form 1040-C	20	
21	Add lines 18 through 20. These are your **total payments** . . . . ▶	21	

Refund

Direct deposit? See page 7 and fill in 23b, 23c, and 23d.

22	If line 21 is more than line 17, subtract line 17 from line 21. This is the amount you **overpaid**	22
23a	Amount of line 22 you want **refunded to you** . . . . ▶	23a
b	Routing number	
	c Type: ☐ Checking ☐ Savings	
d	Account number	
24	Amount of line 22 you want **applied to your 2002 estimated tax** ▶	24

Amount You Owe

25	**Amount you owe.** Subtract line 21 from line 17. For details on how to pay, see page 7 ▶	25
26	Estimated tax penalty (see page 7). Also include on line 25 .	26

Third Party Designee

Do you want to allow another person to discuss this return with the IRS (see page 7)? ☐ **Yes.** Complete the following. ☐ **No**

Designee's name ▶	Phone no. ▶ ( )	Personal identification number (PIN) ▶

Sign Here

Keep a copy of this return for your records.

Under penalties of perjury, I declare that I have examined this return and accompanying schedules and statements, and to the best of my knowledge and belief, they are true, correct, and accurately list all amounts and sources of U.S. source income I received during the tax year. Declaration of preparer (other than taxpayer) is based on all information of which preparer has any knowledge.

Your signature	Date	Your occupation in the United States

Paid Preparer's Use Only

Preparer's signature	Date	Check if self-employed ☐	Preparer's SSN or PTIN
Firm's name (or yours if self-employed), address, and ZIP code		EIN	
		Phone no. ( )	

For Disclosure and Paperwork Reduction Act Notices, see page 9 of instructions.

Cat. No. 21534N

Form **1040NR-EZ** (2001)

Other Information (If an item does not apply to you, enter "N/A.")

A What country issued your passport? ....

B Were you ever a U.S. citizen? . . . . ☐ **Yes** ☐ **No**

C Give the purpose of your visit to the United States▶ ....
....
....

D Type of entry visa ▶ ....
and current nonimmigrant status ▶...

E Date you entered the United States (see page 8)▶ ....

F Did you give up your permanent residence as an immigrant in the United States this year? . . . . . ☐ **Yes** ☐ **No**

G Dates you entered and left the United States during the year. Residents of Canada or Mexico entering and
leaving the United States at frequent intervals, give name of country only▶....................................
....
....
....
....
....

H Give number of days (including vacation and nonworkdays) you were present in the United States during
1999 .... , 2000 .... , and 2001 ....

I Did you file a U.S. income tax return for any year before 2001? . . . . ☐ **Yes** ☐ **No**
If "Yes," give the latest year and form number▶...

J If you are claiming the benefits of a U.S. income tax treaty with a foreign country, give the following
information. See page 8 for additional information.
  ● Country ▶..
  ● Type and amount of income exempt from tax and the applicable tax treaty article. Enter treaty-exempt
  income for 2001 below and on line 6; not on line 3 or 5.
   For 2001 ▶ ....
....
....
....
   For 2000 ▶ ....
....
....
....
  ● Were you subject to tax in that country on any of the income that you claim is entitled to the treaty
  benefits? . . . . ☐ **Yes** ☐ **No**

K During 2001, did you apply for, or take any affirmative steps to apply for, lawful permanent resident status
in the United States or have an application pending to adjust your status to that of a lawful permanent
resident of the United States? . . . . ☐ **Yes** ☐ **No**
If "Yes," explain ▶...
....

Form **3520**

Department of the Treasury
Internal Revenue Service

Annual Return To Report Transactions With Foreign Trusts and Receipt of Certain Foreign Gifts

Instructions are separate.

OMB No. 1545-0159

20**00**

All information must be in English. Show all amounts in U.S. dollars. File a separate Form 3520 for each foreign trust.

| For calendar year 2000, or tax year beginning | , 2000 | , ending | , 20 |

A Check appropriate box(es): See Instructions. ☐ Initial return ☐ Final return ☐ Amended return

B Check box that applies to U.S. person filing return: ☐ Individual ☐ Partnership ☐ Corporation ☐ Trust ☐ Executor

Check all applicable boxes:

☐ **(a)** You are a U.S. transferor who, directly or indirectly, transferred money or other property during the current tax year to a foreign trust, or **(b)** You held an outstanding obligation of a related foreign trust (or a person related to the trust) issued during the current tax year, that you treated as a "qualified obligation" (defined on page 3 of the instructions) during the current tax year. See the instructions for Part I.

☐ You are a U.S. owner of all or any portion of a foreign trust at any time during the tax year. See the instructions for Part II.

☐ **(a)** You are a U.S. person who, during the current tax year, received a distribution from a foreign trust, or **(b)** A related foreign trust held an outstanding obligation issued by you (or a person related to you) during the current tax year that you treated as a "qualified obligation" (defined on page 3 of the instructions) during the current tax year. See the instructions for Part III.

☐ You are a U.S. person who, during the current tax year, received certain gifts or bequests from a foreign person. See the instructions for Part IV.

Service Center where U.S. person filing this return files its income tax return ▶

| **1a** Name of U.S. person(s) filing return | **b** Identification number |

| **c** Number, street, and room or suite no. (If a P.O. box, see instructions.) | **d** Spouse's identification number (see instr.) |

| **e** City or town | **f** State or province | **g** ZIP or postal code | **h** Country |

| **2a** Name of foreign trust (if applicable) | **b** Identification number (if any) | **c** Number, street, and room or suite no. |

| **d** City or town | **e** State or province | **f** ZIP or postal code | **g** Country |

3 For purposes of section 6048(b), did the foreign trust appoint a U.S. agent (defined on page 4 of the instructions) who can provide the IRS with all relevant trust information? . . . . ☐ Yes ☐ No
If "Yes," complete lines 3a through 3g.

| **3a** Name of U.S. agent | **b** Identification number (if any) | **c** Number, street, and room or suite no. |

| **d** City or town | **e** State or province | **f** ZIP or postal code | **g** Country |

| **4a** Name of U.S. decedent (see instr.) | **b** Address | **c** TIN of decedent |

| **d** Date of death | | **e** EIN of estate |

Part I   **Transfers by U.S. Persons to a Foreign Trust During the Current Tax Year**   (See instructions on page 5.)

| **5a** Name of trust creator (if different from line 1a) | **b** Address | **c** Identification number (if any) |

| **6a** Country code of country where trust was created | **b** Country code of country whose law governs the trust | **c** Date trust was created |

7a Will any other person be treated as the owner of the transferred assets after the transfer? . . . . ☐ Yes ☐ No

b Name of other foreign trust owners, if any **(a)**	Address **(b)**	Country of residence **(c)**	Identification number, if any **(d)**	Relevant code section **(e)**

Under penalties of perjury, I declare that I have examined this return, including any accompanying reports, schedules, or statements, and to the best of my knowledge and belief, it is true, correct, and complete.

| Signature | Title | Date |

| Preparer's signature | Preparer's SSN or PTIN | Date |

For Paperwork Reduction Act Notice, see page 10 of the instructions.   Cat. No. 19594V   Form **3520** (2000)

Part I   *(Continued)*

8	Was the transfer a completed gift or bequest? If "Yes," see instructions	☐ Yes	☐ No
9a	Now or in the future, can any part of the income or corpus of the trust benefit any U.S. beneficiary?	☐ Yes	☐ No
b	If "No," could the trust be revised or amended to benefit a U.S. beneficiary?	☐ Yes	☐ No
10	Will you continue to be treated as the owner of the transferred asset(s) after the transfer?	☐ Yes	☐ No

Schedule A—Obligations of a Related Trust (See instructions on page 6.)

11a During the current tax year, did you transfer property (including cash) to a related foreign trust in exchange for an
obligation of the trust or a person related to the trust? See instructions . . . .   ☐ Yes   ☐ No
If "Yes," complete Schedule A, as applicable. If "No," go to Schedule B.

b Was the obligation you received a qualified obligation? . . . .   ☐ Yes   ☐ No
If "Yes," complete Schedule A with respect to that obligation. If "No," go to Schedule B.
Note: *The FMV of an obligation (column (d)) is -0- unless it is a qualified obligation.*

Date of transfer giving rise to obligation (a)	Maximum term (b)	Yield to maturity (c)	FMV of obligation (d)

12 With respect to each obligation you treated as a "qualified obligation" on line 11b: Do you agree to extend the
period of assessment of any income or transfer tax attributable to the transfer and any consequential income tax
changes for each year that the obligation is outstanding, to a date 3 years after the maturity date of the obligation?   ☐ Yes   ☐ No
Note: *Generally, you must answer "Yes," if you checked "Yes" to question 11b.*

Schedule B—Gratuitous Transfers (See instructions on page 6.)

13 During the current tax year, did you make any transfers (directly or indirectly) to the trust and receive less than
FMV, or no consideration at all, for the property transferred? . . . .   ☐ Yes   ☐ No
If "Yes," complete columns (a) through (i) below and the rest of Schedule B, as applicable.
If "No," go to Schedule C.

Date of transfer (a)	Description of property transferred (b)	FMV of property transferred (c)	U.S. adj. basis of property transferred (d)	Gain recognized at time of transfer (e)	Excess, if any, of column (c) over the sum of columns (d) and (e) (f)	Description of property received, if any (g)	FMV of property received (h)	Excess of column (c) over column (h) (i)
Totals ▶					$		$	

14 You are required to attach a copy of each sale or loan document entered into in connection with a transfer reported on line 13 If these
documents have been attached to a Form 3520 filed within the previous 3 years, attach only relevant updates.

		Yes	No	Attached Previously	Year Attached
	Have you attached a copy of:				
a	Sale document?	☐	☐	☐	_____
b	Loan document?	☐	☐	☐	_____
c	Subsequent variances to original sale or loan documents?	☐	☐	☐	

Form **3520** (2000)

Part I *(Continued)*

Note: *Complete lines 15 through 18 only if you answered "No" to line 3.*

15 Name of beneficiary (a)	Address of beneficiary (b)	U.S. beneficiary? (c)		Identification number, if any (d)
		Yes	No	

16 Name of trustee (a)	Address of trustee (b)	Identification number, if any (c)

17 Name of other persons with trust powers (a)	Address of other persons with trust powers (b)	Description of powers (c)	Identification number, if any (d)

18 If you checked "No" on line 3 (or did not complete lines 3a through 3g) you are required to attach a copy of all trust documents as indicated below. If these documents have been attached to a Form 3520-A filed within the previous 3 years, attach only relevant updates.

Have you attached a copy of:	Yes	No	Attached Previously	Year Attached
a Summary of all written and oral agreements and understandings relating to the trust?	☐	☐	☐	_____
b The trust instrument?	☐	☐	☐	_____
c Memoranda or letters of wishes?	☐	☐	☐	_____
d Subsequent variances to original trust documents?	☐	☐	☐	_____
e Trust financial statements?	☐	☐	☐	_____
f Other trust documents?	☐	☐	☐	_____

Form **3520** (2000)

Part I   **Schedule C—Qualified Obligations Outstanding in the Current Tax Year** (See instructions on page 6.)

19   Did you, at any time during the tax year, hold an outstanding obligation of a related foreign trust (or a person
related to the trust) that you treated as a "qualified obligation" in the current tax year? . . . . ☐ **Yes**   ☐ **No**
If "Yes," complete columns (a) through (e) below.

Date of original obligation (a)	Tax year qualified obligation first reported (b)	Amount of principal payments made during the tax year (c)	Amount of interest payments made during the tax year (d)	Does the obligation still meet the criteria for a qualified obligation? (e)	
				Yes	No

Part II   **U.S. Owner of a Foreign Trust** (See instructions on page 6.)

20 Name of other foreign trust owners, if any (a)	Address (b)	Country of residence (c)	Identification number, if any (d)	Relevant code section (e)

21 Country code of country where foreign trust was created (a)	Country code of country whose law governs the foreign trust (b)	Date foreign trust was created (c)

22   Did the foreign trust file Form 3520-A for the current year? . . . . ☐ **Yes**   ☐ **No**
If "Yes," attach the Foreign Grantor Trust Owner Statement you received from the foreign trust. If"No," to the
best of your ability, complete and attach a substitute Form 3520-A for the foreign trust. See page 4 of instructions
for information on penalties.

23   Enter the gross value of the portion of the foreign trust that you are treated as owning. . . . . ▶ $

Part III   **Distributions to a U.S. Person From a Foreign Trust During the Current Tax Year** (See instructions on page 7.)

24   Cash amounts or FMV of property received, directly or indirectly, during the current tax year, from the foreign trust (exclude loans included on line 25).

Date of distribution (a)	Description of property received (b)	FMV of property received (determined on date of distribution) (c)	Description of property transferred, if any (d)	FMV of property transferred (e)	Excess of column (c) over column (e) (f)

Totals . . . . ▶ //////////////////////////////// $

Form **3520** (2000)

Part III *(Continued)*

25 During the current tax year, did you (or a person related to you) receive a loan from a related foreign trust (including an extension of credit upon the purchase of property from the trust)? . . . . ☐ Yes ☐ No

If "Yes," complete columns (a) through (g) below with respect to such loans.

Note: *The FMV of an obligation (column (f)) is -0- unless it is a "qualified obligation."*

FMV of loans proceeds (a)	Date of original loan transaction (b)	Maximum term of repayment of obligation (c)	Interest rate of obligation (d)	Is the obligation a "qualified obligation"? (e)		FMV of obligation (f)	Amount treated as distribution from the trust (subtract column (f) from column (a)) (g)
				Yes	No		

Total . . . . ▶ $

26 With respect to each obligation you treated as a "qualified obligation" on line 25: Do you agree to extend the period of assessment of any income or transfer tax attributable to the transaction, and any consequential income tax changes for each year that the obligation is outstanding, to a date 3 years after the maturity date of the obligation? . . . . ☐ Yes ☐ No

Note: *Generally, you must answer "Yes" if you checked "Yes" in column (e) of line 25.*

27 Total distributions received during the current tax year. Add line 24, column (f), and line 25, column (g) . . ▶ $

28 Did the trust, at any time during the tax year, hold an outstanding obligation of yours (or a person related to you) that you treated as a "qualified obligation" in the current tax year? . . . . ☐ Yes ☐ No

If "Yes," complete columns (a) through (e) below with respect to each obligation.

Date of original loan transaction (a)	Tax year qualified obligation first reported (b)	Amount of actual principal payments made during the tax year (c)	Amount of actual interest payments made during the tax year (d)	Does the loan still meet the criteria of a qualified obligation? (e)	
				Yes	No

29 Did you receive a Foreign Grantor Trust Beneficiary Statement from the foreign trust with respect to a distribution? ☐ Yes ☐ No

If "Yes," attach the statement and do not complete the remainder of Part III with respect to that distribution.

If "No," complete Schedule A with respect to that distribution.

30 Did you receive a Foreign Nongrantor Trust Beneficiary Statement from the foreign trust with respect to a distribution? ☐ Yes ☐ No

If "Yes," attach the statement and complete either Schedule A or Schedule B below (see instructions). If "No," complete Schedule A with respect to that distribution.

Schedule A—Default Calculation of Trust Distributions (See instructions on page 8.)

31 Enter amount from line 27 . . . .

32 Number of years the trust has been a nongrantor trust (see instructions) ▶ _____

33 Enter total distributions received from the foreign trust during the 3 preceding tax years (or the number of years the trust has been a nongrantor trust, if fewer than 3) . . . .

34 Multiply line 33 by 1.25 . . . .

35 Average distribution. Divide line 34 by 3 (or the number of years the trust has been a nongrantor trust, if fewer than 3) and enter the result . . . .

36 Amount treated as ordinary income earned in the current year. Enter the smaller of line 31 or line 35 . . . .

37 Amount treated as accumulation distribution. Subtract line 36 from line 31. If -0- or less, enter -0- and do not complete the rest of Part III . . . .

38 Compute applicable number of years of trust. Divide line 32 by 2 and enter here▶

Schedule B—Actual Calculation of Trust Distributions (See instructions on page 8.)

39 Enter amount from line 27 . . . .

40 Amount treated as ordinary income in the current tax year . . . .

41 Amount treated as accumulation distribution. If -0- or less, enter -0- and do not complete Schedule C, Part III .

42 Amount treated as capital gains in the current tax year . . . .

43 Amount treated as distribution from trust corpus . . . .

44 Enter any other distributed amount received from the foreign trust not included on lines 40, 41, 42, and 43 (attach explanation) .

45 Amount of foreign trust's aggregate undistributed net income . . . .

46 Amount of foreign trust's weighted undistributed net income . . . .

47 Compute applicable number of years of trust. Divide line 46 by line 45 and enter here▶

Part III	*(Continued)*

Schedule C—Calculation of Interest Charge (See instructions on page 9.)

48	Enter accumulation distribution from line 37 or 41, as applicable . . . .
49	Enter tax on total accumulation distribution from line 28 of Form 4970 . . . .
50	Enter applicable number of years of foreign trust from line 38 or 47, as applicable (round to nearest half-year). ▶ _____
51	Combined interest rate imposed on the total accumulation distribution. See Table B on page 9 of instructions .
52	Interest charge. Multiply the amount on line 49 by the combined interest rate on line 51 . . . .
53	Tax attributable to accumulated distributions. Add lines 49 and 52. Enter here and as "additional tax" on your income tax return . . . .

Part IV	**U.S. Recipients of Gifts or Bequests Received During the Current Tax Year From Foreign Persons** (See instructions beginning on page 9.)

54 During the current tax year, did you receive more than $100,000 during the tax year that you treated as gifts or bequests from a nonresident alien or a foreign estate? See instructions regarding related donors . . . . . ☐ **Yes** ☐ **No**

If "Yes," complete columns (a) through (c) with respect to each such gift or bequest in excess of $5,000. If more space is needed, attach schedule.

Date of gift or bequest (a)	Description of property received (b)	FMV of property received (c)
Total . . . . ▶		$

55 During the current tax year, did you receive more than $10,931 that you treated as gifts from a foreign corporation or a foreign partnership? See instructions regarding related donors . . . . ☐ **Yes** ☐ **No**

If "Yes," complete columns (a) through (g) with respect to each such gift. If more space is needed, attach schedule.

Date of gift (a)	Name of donor (b)	Address of donor (c)	Identification number, if any (d)

Check the box that applies to the foreign donor (e)		Description of property received (f)	FMV of property received (g)
Corporation	Partnership		

56 Do you have any reason to believe that the foreign donor, in making any gift or bequest described in lines 54 and 55, was acting as a nominee or intermediary for any other person? If "Yes," see instructions. . . . . . . ☐ **Yes** ☐ **No**

✪

Form **3520** (2000)

理財系列・節稅贏家

綠卡與稅：投資移民美國的節稅之道(2002年修訂版)

1999年6月初版　　　　　　　　　　　　　　定價：新臺幣250元
2003年8月初版第八刷
有著作權・翻印必究
Printed in Taiwan.

著　　　者　何　美　惠
發　行　人　劉　國　瑞

出　版　者　聯經出版事業股份有限公司
台　北　市　忠　孝　東　路　四　段　5　5　5　號
台北發行所地址：台北縣汐止市大同路一段367號
　　　　　電話：（0 2）2 6 4 1 8 6 6 1
台北忠孝門市地址：台北市忠孝東路四段561號1-2F
　　　　　電話：（0 2）2 7 6 8 3 7 0 8
台北新生門市地址：台北市新生南路三段9 4號
　　　　　電話：（0 2）2 3 6 2 0 3 0 8
台中門市地址：台中市健行路321號
台中分公司電話：（0 4）2 2 3 1 2 0 2 3
高雄辦事處地址：高雄市成功一路363號B 1
　　　　　電話：（0 7）2 4 1 2 8 0 2
郵政劃撥帳戶第0 1 0 0 5 5 9 - 3號
郵　撥　電　話：2 6 4 1 8 6 6 2
印　刷　者　世　和　印　製　企　業　有　限　公　司

責任編輯　方　清　河
封面設計　山田廣告

行政院新聞局出版事業登記證局版臺業字第0130號

ISBN　957-08-1965-0(平裝)

國家圖書館出版品預行編目資料

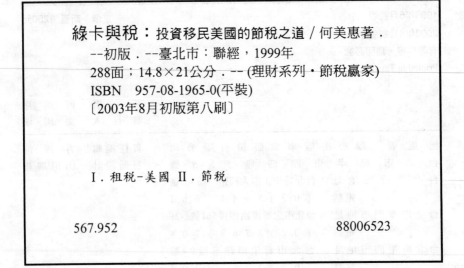

綠卡與稅：投資移民美國的節稅之道 / 何美惠著．
--初版 ．--臺北市：聯經，1999年
288面；14.8×21公分 ． -- (理財系列・節稅贏家)
ISBN　957-08-1965-0(平裝)
〔2003年8月初版第八刷〕

Ⅰ．租稅-美國　Ⅱ．節稅

567.952　　　　　　　　　　　　　　88006523

聯經出版公司信用卡訂購單

信用卡別：　　　　□VISA CARD □MASTER CARD □聯合信用卡

訂購人姓名：＿＿＿＿＿＿＿＿＿＿＿＿＿＿＿＿＿＿＿＿＿＿

訂購日期：　　　＿＿＿＿＿年＿＿＿＿＿月＿＿＿＿＿日

信用卡號：　　　＿＿＿＿＿ ＿＿＿＿＿ ＿＿＿＿＿ ＿＿＿＿＿

信用卡簽名：　　＿＿＿＿＿＿＿＿＿＿＿＿(與信用卡上簽名同)

信用卡有效期限：＿＿＿＿＿年＿＿＿＿＿月止

聯絡電話：　　　日(O)＿＿＿＿＿＿＿＿夜(H)＿＿＿＿＿＿＿＿

聯絡地址：　　　□□□＿＿＿＿＿＿＿＿＿＿＿＿＿＿＿＿＿＿

訂購金額：　　　新台幣＿＿＿＿＿＿＿＿＿＿＿＿＿＿＿元整
　　　　　　　　（訂購金額 500 元以下，請加付掛號郵資 50 元）

發票：　　　　　□二聯式　　　　□三聯式

發票抬頭：　　　＿＿＿＿＿＿＿＿＿＿＿＿＿＿＿＿＿＿＿＿＿

統一編號：　　　＿＿＿＿＿＿＿＿＿＿＿＿＿＿＿＿＿＿＿＿＿

發票地址：　　　＿＿＿＿＿＿＿＿＿＿＿＿＿＿＿＿＿＿＿＿＿

　　　　　　　　如收件人或收件地址不同時，請填：

收件人姓名：　　　　　　　　　　　　　□先生
＿＿＿＿＿＿＿＿＿＿＿＿＿＿＿＿＿＿＿＿□小姐

聯絡電話：　　　日(O)＿＿＿＿＿＿＿＿夜(H)＿＿＿＿＿＿＿＿

收貨地址：　　　＿＿＿＿＿＿＿＿＿＿＿＿＿＿＿＿＿＿＿＿＿

・ 茲訂購下列書種・帳款由本人信用卡帳戶支付 ・

書名	數量	單價	合計
		總計	

訂購辦法填妥後

直接傳真 FAX：(02)8692-1268 或(02)2648-7859

洽詢專線：(02)26418662 或(02)26422629 轉 241

理財系列

●本書目定價若有調整，以再版新書版權頁上之定價為準●